AMÉRIQUE

DU MÊME AUTEUR

LE SYSTÈME DES OBJETS, les Essais, Gallimard, 1968 et Médiations, Denoël.

LA SOCIÉTÉ DE CONSOMMATION, le Point, Denoël, 1970 et Idées, Gallimard.

POUR UNE CRITIQUE DE L'ÉCONOMIE POLITIQUE DU SIGNE, les Essais, Gallimard, 1972 et Folio, Gallimard.

LE MIROIR DE LA PRODUCTION, Casterman, 1973, Galilée, 1985.

L'ÉCHANGE SYMBOLIQUE ET LA MORT, Sciences humaines, Gallimard, 1976.

OUBLIER FOUCAULT, Galilée, 1977.

L'EFFET BEAUBOURG, Galilée, 1977.

A L'OMBRE DES MAJORITÉS SILENCIEUSES, Cahiers d'Utopie, 1978 et Médiations, Denoël, 1983.

LE P.C. OU LES PARADIS ARTIFICIELS DU POLITIQUE, Cahiers d'Utopie, 1978.

DE LA SÉDUCTION, Galilée, 1979 et Médiations, Denoël, 1983.

SIMULACRES ET SIMULATION, Galilée, 1981.

LES STRATÉGIES FATALES, Grasset, 1983.

LA GAUCHE DIVINE, *chroniques des années 1977-1984* Grasset, 1985.

JEAN BAUDRILLARD

AMÉRIQUE

BERNARD GRASSET

PARIS

Vanishing Point

Caution : objects in this mirror may be closer than they appear!

Nostalgie née de l'immensité des collines texanes et des sierras du Nouveau-Mexique : plongées autoroutières et supertubes sur la stéréo-Chrysler et vague de chaleur — la photo ponctuelle n'y suffit plus — il faudrait avoir le film total, en temps réel, du parcours, y compris la chaleur insupportable et la musique, et se reprojeter tout cela intégralement chez soi, en chambre noire — retrouver la magie de l'autoroute et de la distance, et de l'alcool glacé dans le désert et de la vitesse, revivre tout cela

9

au magnétoscope chez soi, en temps réel — non pour le seul plaisir du souvenir, mais parce que la fascination d'une répétition insensée est déjà là, dans l'abstraction du voyage. Le déroulement du désert est infiniment proche de l'éternité de la pellicule.

SAN ANTONIO

Les Mexicains devenus Chicanos servent de guides dans la visite d'El Alamo pour exalter les héros de la nation américaine si vaillamment massacrés par leurs propres ancêtres — ceux-ci ont fait le plus dur, mais ils n'ont pas échappé à la division du travail, aujourd'hui ce sont leurs petits-fils et leurs arrière-petits-fils qui sont là, sur le même lieu de bataille, pour exalter les Américains qui leur ont volé leur territoire. L'histoire est pleine de ruses. Mais les Mexicains aussi, qui ont passé clandestinement la frontière pour venir travailler ici.

SALT LAKE CITY

Pompeuse symétrie mormone, marmoréité impeccable et funèbre (le Capitole, les orgues du Visitor's Center). Et avec ça, une modernité losangélique, tous les gadgets d'un confort minimal extraterrestre. La coupole christique (tous les Christs ici ressemblent à Björn Borg, puisqu'ils ont été copiés sur celui de Thorwaldsen) est de l'ordre des rencontres du troisième type : la religion devenue effet spécial. Toute la ville d'ailleurs a la transparence et la propreté surhumaine, extraterrestre, d'un objet venu d'ailleurs. Abstraction symétrique, lumineuse, dominatrice. Un coucou électronique chante aux carrefours, sur toute la zone du tabernacle, faite de roses et de marbres, et de marketing évangélique – obsessionnalité puritaine étonnante sous cette chaleur et en plein cœur du désert, près de ce lac à l'eau lourde, hyper-réelle elle aussi par la densité du sel, et plus loin le Grand Désert, où il a fallu inventer la vitesse

11

des prototypes automobiles pour conjurer l'horizontalité absolue... Mais la ville, elle, est comme un joyau, avec une pureté de l'air et une audace plongeante des perspectives urbaines plus belle encore qu'à Los Angeles. Étonnante brillance et véracité moderne de ces Mormons, riches banquiers, musiciens, généalogistes internationaux, polygames (l'Empire State de New York rappelle quelque chose de cette puritanité funèbre élevée à la puissance x). L'orgueil capitaliste transsexuel des mutants fait la magie de cette ville, contrepartie de celle de Las Vegas, cette grande pute de l'autre côté du désert.

MONUMENT VALLEY
DEAD HORSE POINT
GRAND CANYON

Monumentalité géologique, donc métaphysique, au contraire de l'altitude physique des reliefs ordinaires. Reliefs inverses, sculptés en profondeur par le vent, l'eau, la glace, ils vous

12

entraînent dans le vertige du temps, dans l'éternité minutieuse d'une catastrophe au ralenti. L'idée même des millions et des centaines de millions d'années qu'il a fallu pour ravager ici la surface de la terre en douceur est une idée perverse, car elle fait surgir le pressentiment de signes venus, bien avant l'homme et son apparition, d'une sorte de pacte d'usure et d'érosion scellé entre les éléments. Dans ce gigantesque amoncellement de signes, d'essence purement géologique, l'homme n'aura été pour rien. Seuls les Indiens peut-être en ont interprété une faible partie. Pourtant ce sont des signes. Car l'inculture du désert n'est qu'apparente. Tout le pays navajo, le long plateau qui mène vers le Grand Canyon, les falaises qui précèdent Monument Valley, les abîmes de Green River (le secret de tout ce pays est peut-être d'avoir été un relief sous-marin, et d'avoir gardé une surréalité de relief océanique à l'air libre), tout ce pays éclate d'une présence magique, qui n'a rien à voir avec la nature. On comprend qu'il ait fallu beaucoup de magie

13

aux Indiens, et une religion bien cruelle, pour conjurer une telle grandeur théorique de l'événement géologique et céleste du désert, pour vivre à la mesure d'un tel décor. Qu'est-ce que l'homme si les signes antérieurs à l'homme ont une telle force ? Une race humaine doit inventer des sacrifices égaux à l'ordre cataclysmique naturel qui l'entoure.

Ce sont peut-être ces reliefs, parce qu'ils ne sont plus naturels, qui donnent la meilleure idée de ce qu'est une culture. Monument Valley : des blocs de langage soudain en érection, puis soumis à une érosion inéluctable, des sédimentations millénaires dont la profondeur transversale est due à l'usure (le sens est né de l'érosion des mots, les significations sont nées de l'érosion des signes), et qui sont voués à devenir aujourd'hui, comme toute culture, des parcs naturels.

SALT LAKE CITY : la conjonction des archives généalogiques mondiales, sous la direction des

14

Mormons, ces luxueux et puritains conquistadors, dans les profondeurs des grottes du désert, et de la piste de Bonneville, sur la surface immaculée du Grand Désert de Sel, où s'élaborent, avec les prototypes automobiles, les plus grandes vitesses du monde. La genèse patronymique comme profondeur du temps et la vitesse du son comme superficialité pure.

ALAMOGORDO : le premier essai de la bombe atomique dans le décor des White Sands, décor bleu pâle des montagnes et des centaines de miles de sable blanc – la lumière aveuglante artificielle de la bombe contre la lumière aveuglante du sol.

TORREY CANYON : le Salk Institute, sanctuaire de l'ADN et de tous les prix Nobel de biologie, là où s'élaborent tous les futurs commandements biologiques, dans cette architecture calquée sur celle du palais de Minos, en marbre blanc face à l'immensité du Pacifique...

Lieux plus étonnants que d'autres, hauts lieux de la fiction réalisée. Lieux sublimes et

15

transpolitiques de l'extraterranéité, dans leur coïncidence d'une grandeur géologique intacte de la terre et d'une technologie sophistiquée, nucléaire, orbitale, informatique.

J'ai cherché l'Amérique *sidérale,* celle de la liberté vaine et absolue des *freeways,* jamais celle du social et de la culture — celle de la vitesse désertique, des motels et des surfaces minérales, jamais l'Amérique profonde des mœurs et des mentalités. J'ai cherché dans la vitesse du scénario, dans le réflexe indifférent de la télévision, dans le film des jours et des nuits à travers un espace vide, dans la succession merveilleusement sans affect des signes, des images, des visages, des actes rituels de la route, ce qui est le plus proche de l'univers nucléaire et énucléé qui est virtuellement le nôtre jusque dans les chaumières européennes.

J'ai cherché la catastrophe future et révolue du social dans la géologie, dans ce retournement de la profondeur dont témoignent les espaces striés, les reliefs de sel et de pierre, les canyons où descend la rivière fossile, l'abîme immémorial de lenteur que sont l'érosion et la géologie, jusque dans la verticalité des mégalopoles.

Cette forme nucléaire, cette catastrophe future, je savais tout cela à Paris. Mais pour la comprendre, il faut prendre la forme du voyage, qui réalise ce que Virilio dit être l'esthétique de la disparition.

Car la forme désertique mentale grandit à vue d'œil, qui est la forme épurée de la désertion sociale. La désaffection trouve sa forme épurée dans le dénuement de la vitesse. Ce que la désertion ou l'énucléation sociale a de froid et de mort retrouve ici, dans la chaleur du désert, sa forme contemplative. Le transpolitique trouve là, dans la transversalité du désert, dans l'ironie de la géologie, son espace générique et mental. L'inhumanité de notre monde ultérieur, asocial et superficiel, trouve d'emblée ici sa forme esthétique et sa forme extatique.

Car le désert n'est que cela : une critique extatique de la culture, une forme extatique de la disparition.

La grandeur des déserts est qu'ils sont, dans leur sécheresse, le négatif de la surface terrestre et celui de nos humeurs civilisées. Lieu où se raréfient les humeurs et les fluides et où descend directement des constellations, tant l'air est pur, l'influence sidérale. Il a même fallu que les Indiens en soient exterminés pour que transparaisse une antériorité encore plus grande que celle de l'anthropologie : une minéralogie, une géologie, une sidéralité, une facticité inhumaine, une sécheresse qui chasse les scrupules artificiels de la culture, un silence qui n'existe nulle part ailleurs.

Le silence du désert est aussi visuel. Il est fait de l'étendue du regard qui ne trouve nulle part où se réfléchir. Dans les montagnes, il ne peut y avoir de silence, car les montagnes hurlent par leur relief. Et même, pour qu'il y ait silence, il faut que le temps aussi soit comme horizontal, qu'il n'y ait pas d'écho du temps dans le futur, qu'il ne soit que le glissement des couches géologiques les unes sur les autres, et qu'il n'en émane plus qu'une sorte de rumeur fossile.

Désert : réseau lumineux et fossile d'une intelligence inhumaine, d'une indifférence radicale – non seulement celle du ciel, mais celle des ondulations géologiques où seules cristallisent les passions métaphysiques de l'espace et du temps. Ici se renversent les termes du désir, chaque jour, et la nuit les anéantit. Mais attendez que le matin se lève, avec l'éveil des bruits fossiles, du silence animal.

La vitesse est créatrice d'objets purs, elle est elle-même un objet pur, puisqu'elle efface le sol et les références territoriales, puisqu'elle remonte le cours du temps pour l'annuler, puisqu'elle va plus vite que sa propre cause et en remonte le cours pour l'anéantir. La vitesse est le triomphe de l'effet sur la cause, le triomphe de l'instantané sur le temps comme profondeur, le triomphe de la surface et de l'objectalité pure sur la profondeur du désir. La vitesse crée un espace initiatique qui peut impliquer la mort et dont la seule règle est d'effacer les traces. Triomphe de l'oubli sur la mémoire, ivresse inculte, amnésique. Superficialité et réversibilité d'un objet pur dans la géométrie pure du désert. Rouler crée une sorte d'invisibilité, de transparence, de transversalité des choses par le vide. C'est une sorte de suicide au ralenti, par l'exténuation des formes, forme délectable de leur disparition. La vitesse n'est pas végétative, elle est plus proche du minéral, d'une déflection cristalline, et elle est déjà le lieu d'une catastrophe et d'une consumation du temps. Mais peut-être sa fascination n'est-elle que celle du vide, alors qu'il n'y a de séduction que du secret. La vitesse n'est que l'initiatique du vide : nostalgie d'une réversion immobile des formes derrière l'exacerbation de la mobilité. Analogue à la nostalgie des formes vivantes dans la géométrie.

Pourtant il y a contraste violent ici, dans ce pays, entre l'abstraction grandissante d'un univers nucléaire et une vitalité primaire, viscérale, incoercible, venue non de l'enracinement, mais du déracinement, une vitalité métabolique, aussi bien dans le sexe que dans le travail que dans les corps ou dans le trafic. Au fond les États-Unis, avec leur espace, leur raffinement technologique, leur bonne conscience brutale, y compris dans les espaces qu'ils ouvrent à la simulation, sont *la seule société primitive actuelle.* Et la fascination est de les parcourir comme la société primitive de l'avenir, celle de la complexité, de la mixité et de la promiscuité la plus grande, celle d'un rituel féroce, mais beau dans sa diversité superficielle, celle d'un fait métasocial total aux conséquences imprévisibles, dont l'immanence nous ravit, mais sans passé pour la réfléchir, donc fondamentalement primitive... La primitivité est passée dans ce caractère hyperbolique et inhumain d'un univers qui nous échappe, et qui dépasse de loin sa propre raison morale, sociale ou écologique.

Seuls des puritains ont pu inventer et développer cette moralité écologique et biologique de préservation, et donc de discrimination, profondément raciale. Tout devient une réserve naturelle surprotégée, tellement protégée qu'on parle aujourd'hui de dénaturaliser Yosemite pour le rendre à la nature, exactement comme les Tasaday aux Philippines. Obsession puritaine d'une origine là précisément où il n'y a plus de territoire. Obsession d'une niche, d'un contact là justement où tout se passe dans une indifférence sidérale.

Il y a une sorte de miracle dans la fadeur des paradis artificiels, pourvu qu'ils atteignent à la grandeur de toute une (in)culture. En Amérique, l'espace donne une envergure même à la fadeur des *suburbs* et des *funky towns*. Le désert est partout et sauve l'insignifiance. Désert où le miracle de la voiture, de la glace et du whisky se reproduit tous les jours : prodige de la facilité mêlée à la fatalité du désert. Miracle de l'obscénité, proprement américain : de la disponibilité totale, de la transparence de toutes les fonctions dans l'espace, qui lui pourtant reste insoluble dans son étendue et ne peut être conjuré que par la vitesse.

Miracle italien : celui de la scène.

Miracle américain : celui de l'obscène.

La luxure du sens contre les déserts de l'insignifiance.

Ce qui est magique, ce sont les formes métamorphiques. Pas la forêt sylvestre, végétale, mais la forêt pétrifiée, minéralisée. C'est le désert de sel, plus blanc que la neige, plus horizontal que la mer. C'est l'effet de monumentalité, de géométrie et d'architecture là où rien n'a été conçu ni pensé. Canyonsland, Split Mountain. Ou l'inverse : le relief sans relief, amorphe, des collines de boue (Mud Hills), relief lunaire, voluptueux et fossile, aux ondulations monotones, d'antiques fonds sous-marins. La houle blanche des White Sands... Il faut cette surréalité des éléments pour éliminer le pittoresque de la nature, de même qu'il faut cette métaphysique de la vitesse pour éliminer le pittoresque naturel du parcours.

En fait, la conception d'un voyage sans objectif, donc sans fin, ne se développe que progressivement. Rejet des avatars touristiques et pittoresques, des curiosités, des paysages mêmes (seule leur abstraction demeure, dans le prisme de la canicule). Rien n'est plus étranger au travelling pur que le tourisme ou le loisir. C'est pourquoi il se réalise au mieux dans la banalité extensive des déserts ou dans celle, aussi désertique, des métropoles – jamais prises comme lieux de plaisir ou de culture, mais télévisuellement, comme *scenery*, comme scénarios. C'est pourquoi il se réalise au mieux dans l'extrême chaleur, comme forme jouissive de déterritorialisation du corps. L'accélération des molécules dans la chaleur porte à une déperdition subtile du sens.

Bien au-delà des mœurs à découvrir, c'est l'immoralité de l'espace à parcourir qui compte. C'est elle, et la distance pure, et la délivrance du social, qui comptent. Ici, dans la société la plus morale qui soit, l'espace est vraiment immoral. Ici, dans la société la plus conforme qui soit, les dimensions sont immorales. C'est cette immoralité qui rend la distance légère et le voyage infini, c'est elle qui purifie les muscles de leur fatigue.

Rouler est une forme spectaculaire d'amnésie. Tout à découvrir, tout à effacer. Certes, il y a le choc primal des déserts et de l'éblouissement californien, mais lorsque celui-ci n'existe plus, alors commence la brillance seconde du voyage, celle de la distance excessive, de la distance inéluctable, de l'infini des visages et des distances anonymes, ou de quelques formations géologiques miraculeuses, qui enfin ne témoignent de la volonté de personne tout en gardant intacte l'image du bouleversement. Ce travelling ne souffre pas d'exception : lorsqu'il bute sur un visage connu, sur un paysage familier ou un déchiffrement quelconque, le charme est rompu : le charme amnésique, ascétique et asymptotique de la disparition succombe à l'affect et à la sémiologie mondaine.

Il y a un événement, ou une innervation, spécial à ce genre de voyage, et donc un type spécial de fatigue. Comme une fibrillation de muscles striés par l'excès de chaleur et de vitesse, par l'excès de choses vues, lues, traversées, oubliées. La défibrillation du corps excédé de signes vides, de gestes fonctionnels, de brillance aveugle du ciel et de distances somnambuliques, est très lente. Les choses se font soudain légères, au fur et à mesure que la culture, notre culture, se raréfie. Et cette forme spectrale de civilisation qu'ont inventée les Américains, forme éphémère et si proche de l'évanouissement, apparaît soudain comme la mieux adaptée à la probabilité, et à la probabilité seule de la vie qui nous guette. La forme qui domine l'Ouest américain, et sans doute toute la culture américaine, est une forme sismique : culture fractale, interstitielle, née d'une faille avec l'Ancien Monde, culture tactile, fragile, mobile, superficielle — il faut y circuler selon les mêmes règles pour en saisir le jeu : glissement sismique, technologies douces.

Nulle autre question à ce voyage que : jusqu'où peut-on aller dans l'extermination du sens, jusqu'où peut-on avancer dans la forme désertique irréférentielle sans craquer, et à condition bien sûr de garder le charme ésotérique de la disparition? Question théorique ici matérialisée dans les conditions objectives d'un voyage qui n'en est plus un et comporte donc une règle fondamentale : celle du point de non-retour. C'est là toute la question. Et le moment crucial est celui, brutal, de l'évidence qu'il n'a pas de fin, qu'il n'y a plus de raison qu'il prenne fin. Au-delà d'un certain point c'est le mouvement même qui change. Le mouvement qui traverse l'espace de par sa propre volonté se change en une absorption par l'espace lui-même — fin de la résistance, fin de la scène propre du voyage (exactement comme le réacteur n'est plus une énergie de pénétration de l'espace, mais se propulse en créant devant lui un vide qui l'absorbe, au lieu de prendre appui, selon le schéma traditionnel, sur la résistance de l'air). Ainsi est atteint le point centrifuge, excentrique, où circuler produit le vide qui vous absorbe. Ce moment de vertige est aussi celui de l'effondrement potentiel. Non pas tellement par la fatigue propre à la distance et à la chaleur, à l'avancée dans le désert visible de l'espace, mais à l'avancée irréversible dans le désert du temps.

To-morrow is the first day of the rest of your life.

New York

Missionnaire aéronautique des majorités silencieuses et des stratégies fatales, sautant avec félinité d'un aéroport à l'autre, maintenant ce sont les bois enflammés du New Hampshire, un bref reflet dans le miroir de la Nouvelle-Angleterre, hier c'était la douceur verticale des gratte-ciel, demain ce sera Minneapolis au nom si doux, avec son enchaînement de voyelles arachnéen, mi-grec, mi-cheyenne, évoquant une géométrie rayonnante, au bord des glaces, à l'horizon du monde habité... Parlant du silence des masses et de la fin de l'histoire, jetant un œil sur l'immensité et la lumière du lac, un vent dévorant court sur le lac, à l'est où la nuit tombe. Les avions passent, silencieux comme le vent, derrière les vitres de l'hôtel, et les premières publicités commencent à tourner lentement au-dessus de la ville. Quelle merveille l'Amérique! Tout autour, c'est l'été indien, dont la douceur est un présage de neige. Mais où sont les dix mille lacs, l'utopie d'une cité hellénistique aux confins des Rocheuses? Minneapolis, Minneapolis! Après l'élégance patricienne et la douceur féminine de l'été indien dans le Wisconsin, Minneapolis n'est qu'un conglomérat rural sans lumière, qui n'attend que l'hiver et le froid dont elle est fière, au milieu de ses silos et de ses terrains de chasse. Mais au creux de cette Amérique profonde, il y a le bar du Commodore, le plus bel art déco du monde, où Fitzgerald, dit-on, venait boire tous les soirs. J'y bois aussi. Demain, je serai directement relié par l'avion à l'autre extrémité lumineuse, superficielle, raciale, esthétique et dominatrice, l'héritière de tout à la fois, Athènes, Alexandrie, Persépolis : New York.

NEW YORK

Le nombre des sirènes augmente, de jour et de nuit. Les voitures sont plus rapides, les publicités plus violentes. La prostitution est totale, la lumière électrique aussi. Et le jeu, tous les jeux s'intensifient. C'est toujours ainsi quand on s'approche du centre du monde. Mais les gens sourient, ils sourient même de plus en plus, jamais les uns aux autres, toujours pour eux seuls.

L'effrayante diversité des visages, leur singularité, tous tendus vers une expression inconcevable. Les masques que donnaient la vieillesse et la mort dans les cultures archaïques, ici les jeunes l'ont à vingt ans, à douze ans. Mais c'est comme la ville. La beauté que les cités ne prenaient qu'au fil des siècles, celle-ci l'a trouvée en cinquante ans.

Les torchères de fumée, comme de baigneuses qui se tordent les cheveux. Chevelures afro, ou préraphaélites. Banal, multiracial. Ville pharaonique, tout en obélisques ou en aiguilles. Les buildings autour de Central Park sont comme

33

des arcs-boutants – l'immense parc prend grâce à eux l'allure d'un jardin suspendu.

Ce ne sont pas les nuages qui sont pomme-lés, ce sont les cerveaux. Les nuages flottent sur la ville comme des hémisphères cérébraux, chassés par le vent. Les gens, eux, ont des cirrus dans la tête, qui leur sortent par les yeux, comme les fumées spongieuses qui montent du sol craquelé par les pluies chaudes. Solitude sexuelle des nuages dans le ciel, solitude linguistique des hommes sur la terre.

Le nombre de gens ici qui pensent seuls, qui chantent seuls, qui mangent et parlent seuls dans les rues est effarant. Pourtant ils ne s'additionnent pas. Au contraire, ils se sous-traient les uns aux autres, et leur ressemblance est incertaine.

Mais une certaine solitude ne ressemble à aucune autre. Celle de l'homme qui prépare publiquement son repas, sur un mur, sur le capot d'une voiture, le long d'une grille, seul.

On voit ça partout ici, c'est la scène au monde la plus triste, plus triste que la misère, plus triste que celui qui mendie est l'homme qui mange seul en public. Rien de plus contradictoire avec les lois humaines ou bestiales, car les bêtes se font toujours l'honneur de partager ou de se disputer la nourriture. Celui qui mange seul est mort (mais pas celui qui boit, pourquoi?).

Pourquoi les gens vivent-ils à New York? Ils n'y ont aucun rapport entre eux. Mais une électricité interne qui vient de leur pure promiscuité. Une sensation magique de contiguïté, et d'attraction pour une centralité artificielle. C'est ce qui en fait un univers auto-attractif, dont il n'y a aucune raison de sortir. Il n'y a aucune raison humaine d'être là, mais la seule extase de la promiscuité.

Beauté des Noires, des Portoricaines à New York. En dehors de l'excitation sexuelle que donne la promiscuité raciale, il faut dire que le noir, le pigment des races sombres, est comme un fard naturel qui s'exalte du fard artificiel pour composer une beauté — non sexuelle : animale et sublime — qui manque désespérément aux visages blêmes. La blancheur apparaît comme une exténuation de la parure physique, neutralité qui peut-être pour cela obtient tous les pouvoirs exotériques du Verbe, mais à qui manqueront toujours au fond la puissance ésotérique et rituelle de l'artifice.

Dans New York il y a ce double prodige : chacun des grands buildings règne ou a régné une fois sur la ville — chacune des ethnies règne ou a régné une fois sur la ville, à sa façon. La promiscuité donne de l'éclat à chacune des composantes, alors qu'ailleurs elle tend à abolir les différences. A Montréal tous les éléments y sont — les ethnies, les buildings, l'espace nord-américain —, mais sans l'éclat et la violence des villes US.

Les nuages nous gâchent le ciel en Europe. Comparés aux ciels immenses de Nord-Amérique, avec leurs nuées, nos petits ciels pommelés, nos petits nuages pommelés sont à l'image de nos pensées pommelées, jamais des pensées de l'espace... A Paris, le ciel ne décolle jamais, il ne plane pas, il est pris dans le décor des immeubles souffreteux, qui se font de l'ombre les uns aux autres, comme la petite propriété privée – au lieu d'être la façade miroir vertigineuse les uns des autres, comme celle du grand capital à New York... Ça se voit aux ciels : l'Europe n'a jamais été un continent. Dès que vous posez le pied en Amérique du Nord, vous sentez la présence d'un continent entier – l'espace y est la pensée même.

Face aux *downtowns* et aux ensembles de gratte-ciel américains, la Défense perd le bénéfice architectural de la verticalité et de la démesure pour avoir enserré ses buildings dans une scène à l'italienne, dans un théâtre fermé circonscrit par un boulevard périphérique. Jardin à la française en quelque sorte : un bouquet de buildings avec un ruban autour. C'est contredire à la possibilité que ces monstres en engendrent d'autres à l'infini, se défient les uns les autres, dans un espace rendu dramatique par cette compétition (New York Chicago Houston Seattle Toronto). Là s'engendre l'objet architectural pur, celui qui échappe aux architectes, qui nie au fond catégoriquement la ville et son usage, nie l'intérêt de la collectivité et des individus, persiste dans son délire et n'a d'équivalent que l'orgueil des villes de la Renaissance.

Non il ne faut pas humaniser l'architecture. L'anti-architecture, la vraie, pas celle d'Arcosanti, Arizona, qui rassemble toutes les technologies douces au cœur du désert — non, la sauvage, l'inhumaine, celle qui dépasse l'homme, elle s'est faite ici toute seule, à New York, et sans considération de niche, de bien-être ou d'écologie idéale. Elle a joué les technologies dures, elle a exagéré toutes les dimensions, elle a parié sur le ciel et sur l'enfer... L'éco-architecture, comme l'éco-société, c'est l'enfer en douceur du Bas-Empire.

La merveille des démolitions modernes. C'est un spectacle inverse de celui d'un lancement de fusée. Le building de vingt étages glisse tout entier à la verticale vers le centre de la terre. Il s'effondre droit comme un mannequin, sans perdre sa contenance verticale, comme s'il descendait dans une trappe, et sa propre surface au sol absorbe ses décombres. Voilà un art merveilleux de la modernité, qui égale celui des feux d'artifice de notre enfance.

On dit : en Europe la rue est vivante, en Amérique elle est morte. C'est faux. Rien de plus intense, de plus électrisant, de plus vital et de plus mouvementé que les rues de New York. La foule, le trafic, la publicité l'occupent tantôt avec violence, tantôt avec désinvolture. Des millions de gens l'occupent, errants, nonchalants, violents, comme s'ils n'avaient rien d'autre à faire, et sans doute n'ont-ils réellement rien à faire que de produire le scénario permanent de la ville. La musique est partout, le trafic intense, relativement véhément et silencieux (ce n'est pas le trafic nerveux et théâtral à l'italienne). Les rues, les avenues ne désemplissent jamais, mais la géométrie claire et aérée de la ville écarte la promiscuité artérielle des ruelles européennes.

En Europe, la rue ne vit que par accès, dans des moments historiques, révolution, barricades. Sinon les gens passent vite, personne ne traîne vraiment (on n'y erre plus). C'est comme les voitures européennes : on n'y vit pas, elles n'ont pas assez d'espace. Les villes non plus n'ont pas assez d'espace — ou plutôt cet espace est réputé public, il est marqué de tous les signes de la scène publique, ce qui interdit de le traverser ou de le hanter comme un désert ou un espace indifférent.

La rue américaine ne connaît peut-être pas de moments historiques, mais elle est toujours mouvementée, vitale, cinétique, et cinématique, à l'image du pays lui-même, où la scène proprement historique et politique compte peu, mais où la virulence du changement, qu'il soit alimenté par la technologie, la différence des races, les media, est grande : c'est la violence même du mode de vie.

A New York, le tournoiement de la ville est tellement fort, la puissance centrifuge est telle qu'il est surhumain de penser vivre à deux, de partager la vie de quelqu'un. Seuls, les tribus, les gangs, les mafias, les sociétés initiatiques ou perverses, certaines complicités peuvent survivre, mais pas les couples. C'est l'anti-Arche, où les animaux étaient embarqués par deux pour sauver l'espèce du déluge. Ici, dans cette Arche fabuleuse, chacun est embarqué seul — c'est à lui de trouver, chaque soir, les derniers rescapés pour la dernière party.

A New York les fous ont été libérés. Lâchés dans la ville, ils ne se distinguent pas tellement des autres punks, junkies, drogués, alcooliques ou misérables qui la hantent. On ne voit pas pourquoi une ville aussi folle garderait ses fous à l'ombre, pourquoi elle soustrairait à la circulation des spécimens d'une folie qui s'est en fait, sous de multiples formes, emparée de toute la ville.

La gymnastique du rap est une sorte de prouesse acrobatique, où on ne s'aperçoit qu'à la fin que c'est une danse, lorsqu'elle se fige dans une position indolente, indifférente (le coude au sol, la tête nonchalamment appuyée au creux de la main, comme on le voit dans les tombeaux étrusques). Cette immobilisation soudaine fait penser à l'opéra chinois. Mais le guerrier chinois s'immobilise au sommet de l'action dans un geste héroïque, tandis que le rapper s'immobilise au creux de son mouvement dans un geste dérisoire. On dirait qu'en se lovant et en spiralant ainsi sur eux-mêmes au ras du sol ils creusent leur propre trou à l'intérieur du corps, au fond duquel ils prennent la pose ironique et paresseuse de la mort.

Je n'aurais jamais cru que le marathon de New York puisse vous arracher des larmes. C'est un spectacle de fin du monde. Peut-on parler de souffrance volontaire comme de servitude volontaire? Sous la pluie battante, sous les hélicoptères, sous les applaudissements, revêtus d'une capuche d'aluminium et louchant sur leur chronomètre, ou torse nu et les yeux révulsés, tous cherchent la mort, la mort par épuisement qui fut celle du marathonien d'il y a deux mille ans, qui, ne l'oublions pas, portait à Athènes le message d'une victoire.

Eux rêvent sans doute aussi de faire passer un message victorieux, mais il sont trop nombreux, et leur message n'a plus de sens : c'est celui de leur arrivée même, au terme de leur effort — message crépusculaire d'un effort surhumain et inutile. Collectivement ils apporteraient plutôt le message d'un désastre de l'espèce humaine, car on la voit se dégrader d'heure en heure au fil de l'arrivée, des premiers encore bien découplés et compétitifs jusqu'aux épaves que leurs amis portent littéralement jusqu'à la ligne d'arrivée ou aux handicapés qui font le parcours en chaise roulante. Ils sont 17 000 à courir, et on pense à la vraie bataille de Marathon, où ils n'étaient même pas 17 000 à se battre. Ils sont 17 000, et chacun court seul, sans même l'esprit d'une victoire, simplement pour se sentir exister. « Nous avons gagné! » souffle le Grec de Marathon en expirant. « *I did it!* » soupire le marathonien épuisé en s'écroulant sur la pelouse de Central Park.

I DID IT!

Le slogan d'une nouvelle forme d'activité publicitaire, de performance autistique, forme pure et vide et défi à soi-même, qui a remplacé l'extase prométhéenne de la compétition, de l'effort et de la réussite.

Le marathon de New York est devenu une sorte de symbole international de cette performance fétichiste, du délire d'une victoire à vide, de l'exaltation d'une prouesse sans conséquence.

J'ai couru le marathon de New York : *I did it!*

J'ai vaincu l'Annapurna : *I did it!*

Le débarquement sur la lune est du même ordre : *We did it!* Un événement moins surprenant au fond que programmé d'avance dans la trajectoire du progrès et de la science. Il fallait le faire. On l'a fait. Mais cet événement n'a pas relancé le rêve millénaire de l'espace, il l'a en quelque sorte épuisé.

Il y a le même effet d'inutilité dans toute

exécution d'un programme, comme dans tout ce qu'on fait pour se prouver qu'on est capable de le faire : un enfant, une escalade, un exploit sexuel, un suicide.

Le marathon est une forme de suicide démonstratif, de suicide publicitaire : c'est courir pour montrer qu'on est capable d'aller au bout de soi-même, pour faire la preuve... la preuve de quoi? Qu'on est capable d'arriver. Les graffiti eux aussi ne disent rien d'autre que : Je m'appelle Untel et j'existe! Ils font une publicité gratuite à l'existence!

Faut-il continuellement faire la preuve de sa propre vie? Étrange signe de faiblesse, signe avant-coureur d'un fanatisme nouveau, celui de la performance sans visage, celui d'une évidence sans fin.

Mystic Transportation Incorporated

Un camion vert glauque aux chromes étincelants descend la 7ᵉ Avenue, dans le premier soleil matinal, juste après la neige. Il porte sur ses flancs en lettres d'or métallisées : *Mystic Transportation*.

C'est tout New York et son point de vue mystique sur la décadence : ici, tous les effets spéciaux, du sublime vertical à la pourriture au sol, tous les effets spéciaux de promiscuité des races et des empires, c'est la quatrième dimension de la ville.

Plus tard les villes seront extensives et inurbaines (Los Angeles), plus tard encore elles s'ensevelliront et n'auront même plus de nom. Tout deviendra infrastructure bercée par la lumière et l'énergie artificielles. La superstructure brillante, la verticalité démente auront disparu. New York est le dernier excès de cette verticalité baroque, de cette excentricité centrifuge, avant le démantèlement horizontal, puis l'implosion souterraine.

New York se donne, par une complicité merveilleuse de toute la population, la comédie de sa catastrophe, et ce n'est pas un effet de décadence, c'est un effet de sa propre puissance, que rien ne menace par ailleurs – *parce que* rien ne la menace. Sa densité, son électricité superficielle écartent l'idée de la guerre. Le recommencement de la vie chaque matin est une sorte de miracle, tellement il y a eu d'énergie dépensée la veille. Son voltage la protège, comme un dôme voltaïque, de toutes les destructions extérieures. Non pas d'accidents internes comme le black-out de 76, mais l'envergure de ceux-ci en fait un événement mondial et contribue encore à sa gloire. Cette centralité et cette excentricité ne peuvent que lui donner le délire de sa propre fin, que la « scène » new-yorkaise retranscrit esthétiquement dans ses folies, dans son expressionnisme violent, mais que toute la ville cultive collectivement dans la frénésie technique de la verticalité, dans l'accélération de la banalité, dans la vivacité heureuse ou misérable des visages, dans l'insolence du sacrifice humain à la circulation pure.

Personne ne vous regarde, tous pris dans la tension véhémente de leur rôle impersonnel. Pas de flics à New York — ailleurs les flics sont là pour donner un air urbain et moderne à des villes encore à moitié rurales (Paris en est un bon exemple). Ici l'urbanité a atteint un tel degré qu'il n'est plus besoin de l'exprimèr ou de lui donner un caractère politique. D'ailleurs, New York n'est plus une ville politique, et les manifestations de tel ou tel groupe idéologique sont rares et ont toujours un caractère dérisoire (les ethnies s'expriment sous forme de fête et de démonstration raciale de leur présence). La violence n'est pas celle des rapports sociaux, elle est celle de *tous les rapports,* et elle est exponentielle. La sexualité elle-même est en quelque sorte dépassée comme mode d'expression — même si elle est partout à l'affiche, elle n'a plus le temps de se matérialiser en rapports humains et amoureux, elle se volatilise dans la promiscuité de tous les instants, dans de multiples contacts plus éphémères. A New York on retrouve un sentiment de gloire, dans le sens où vous vous sentez auréolé de l'énergie de tous — ce n'est pas comme en Europe le spectacle lugubre du changement, c'est la forme esthétique d'une mutation.

Nous avons en Europe l'art de penser les choses, de les analyser, de les réfléchir. Personne ne peut nous contester cette subtilité historique et cette imagination conceptuelle, cela, même les esprits d'outre-Atlantique en sont jaloux. Mais les vérités éclatantes, les effets actuels prodigieux sont aux confins du Pacifique ou dans la sphère de Manhattan. New York, Los Angeles sont au centre du monde, il faut le dire — même si quelque chose là-dedans nous exalte et nous désenchante à la fois. Nous sommes désespérément en retard sur la stupidité et le caractère mutationnel, sur la démesure naïve et l'excentricité sociale, raciale, morale, morphologique, architecturale, de cette société. Personne n'est en mesure de l'analyser, surtout pas les intellectuels américains enfermés dans leurs campus, dramatiquement étrangers à cette mythologie concrète, fabuleuse qui s'élabore tout autour.

Cet univers complètement pourri de richesse, de puissance, de sénilité, d'indifférence, de puritanisme et d'hygiène mentale, de misère et de gaspillage, de vanité technologique et de violence inutile, je ne peux m'empêcher de lui trouver un air de matin du monde. C'est peut-être que le monde entier continue de rêver de lui alors même qu'il le domine et l'exploite.

A dix mille mètres et à mille kilomètres-heure, j'ai sous moi les banquises du Groenland, les *Indes Galantes* dans les écouteurs, Catherine Deneuve sur l'écran, et un vieux, juif ou arménien, qui dort sur mes genoux. « Oui, je sens de l'amour toute la violence... » chante la voix sublime d'un fuseau horaire à l'autre. Dans l'avion, les gens dorment, la vitesse ignore la violence de l'amour. D'une nuit à l'autre, celle d'où l'on est parti, celle où l'on va atterrir, le jour n'aura duré que quatre heures. Mais la voix sublime, la voix de l'insomnie va plus vite encore, elle traverse l'atmosphère glaciale transocéanique, court sur les longs cils de l'actrice, sur l'horizon violet du soleil levant, dans le chaud cercueil du jet, et finit par s'éteindre au large de l'Islande.

Voilà, le voyage est fini.

L'Amérique sidérale

L'Amérique sidérale. Le caractère lyrique de la circulation pure. Contre la mélancolie des analyses européennes. La sidération immédiate du vectoriel, du signalétique, du vertical, du spatial. Contre la distance fébrile du regard culturel.

La joie de l'effondrement de la métaphore, dont nous ne portons chez nous que le deuil. L'allégresse de l'obscénité, l'obscénité de l'évidence, l'évidence de la puissance, la puissance de la simulation. Contre notre virginité déçue, nos abîmes d'affectation.

La sidération. Celle, horizontale, de l'automobile, celle, altitudinale, de l'avion, celle, électronique, de la télévision, celle, géologique, des déserts, celle, stéréolytique, des mégalopoles, celle, transpolitique, du jeu de la puissance, du musée de la puissance qu'est devenue l'Amérique pour le monde entier.

Il n'y a pas pour moi de vérité de l'Amérique. Je ne demande aux Américains que d'être Américains. Je ne leur demande pas d'être intelligents, sensés, originaux, je ne leur demande que de peupler un espace sans commune mesure avec le mien, d'être pour moi le plus haut lieu sidéral, le plus bel espace orbital. Pourquoi irais-je me décentraliser en France, dans l'ethnique et le local, qui ne sont que les miettes et les vestiges de la centralité? Je veux m'excentrer, devenir excentrique, mais dans un lieu qui soit le centre du monde. Et dans ce sens le dernier *fast-food*, le plus banal *suburb*, la plus fade des immenses bagnoles américaines ou la plus insignifiante des majorettes de bande dessinée est plus au centre du monde que n'importe quelle manifestation culturelle de la vieille Europe. C'est le seul pays qui offre cette possibilité de naïveté brutale : vous ne demandez aux choses, aux visages, aux ciels et aux déserts que d'être ce qu'ils sont, *just as it is*.

L'Amérique me fait toujours l'effet d'une véritable ascèse. La culture, la politique, mais aussi la sexualité y sont soumises à la vision exclusive du désert, qui constitue ici la scène primitive. Tout disparaît devant cela, même le corps, par un effet subséquent de dénutrition, prend une forme transparente, d'une légèreté proche de la disparition. Tout ce qui m'entoure participe de cette désertification. Mais cette expérimentation radicale seule permet de passer à travers et donne cette sidéralité que je ne trouverai nulle part ailleurs.

L'Amérique n'est ni un rêve, ni une réalité, c'est une hyperréalité. C'est une hyperréalité parce que c'est une utopie qui dès le début s'est vécue comme réalisée. Tout ici est réel, pragmatique, et tout vous laisse rêveur. Il se peut que la vérité de l'Amérique ne puisse apparaître qu'à un Européen, puisque lui seul trouve ici le simulacre parfait, celui de l'immanence et de la transcription matérielle de toutes les valeurs. Les Américains, eux, n'ont aucun sens de la simulation. Ils en sont la configuration parfaite, mais ils n'en ont pas le langage, étant eux-mêmes le modèle. Ils constituent donc le matériau idéal d'une analyse de toutes les variantes possibles du monde moderne. Ni plus ni moins d'ailleurs que le furent en leur temps les sociétés primitives. La même exaltation mythique et analytique qui nous faisait tourner nos regards vers ces sociétés antérieures nous pousse à regarder aujourd'hui du côté de l'Amérique, avec la même passion et les mêmes préjugés.

En réalité, on ne prend pas ici, comme je l'espérais, de distance par rapport à l'Europe, on n'y gagne pas de point de vue plus étrange. Quand vous vous retournez, l'Europe a tout simplement disparu. C'est qu'il ne s'agit pas de prendre un point de vue critique sur l'Europe.

Cela se fait très bien en Europe même, et d'ailleurs qu'y a-t-il à critiquer qui ne l'ait été mille fois? Ce qu'il faut, c'est entrer dans la fiction de l'Amérique, dans l'Amérique comme fiction. C'est d'ailleurs à ce titre qu'elle domine le monde. Chaque détail de l'Amérique fût-il insignifiant, l'Amérique est quelque chose qui nous dépasse tous...

L'Amérique est un gigantesque hologramme, dans le sens où l'information totale est contenue dans chacun des éléments. Prenez la moindre station du désert, n'importe quelle rue d'une ville du Middle West, un parking, une maison californienne, un Burgerking ou une Studebaker, et vous avez toute l'Amérique, au sud, au nord, à l'est comme à l'ouest. Holographique au sens de la lumière cohérente du laser, homogénéité des éléments simples balayés par les mêmes faisceaux. Du point de vue visuel et plastique aussi : on a l'impression que les choses sont faites d'une matière plus irréelle, qu'elles tournent et se déplacent dans le vide comme par un effet lumineux spécial, une pellicule qu'on traverse sans s'en apercevoir. Le désert bien sûr, mais Las Vegas, la publicité, mais aussi l'activité des gens, *public relations,* électronique de la vie quotidienne, tout se découpe avec la plasticité et la simplicité d'un signal lumineux. L'hologramme est proche du phantasme, c'est un rêve tridimensionnel, et on peut y entrer comme dans un rêve. Tout tient à l'existence du rayon lumineux qui porte les choses, s'il est interrompu, tous les effets se dispersent, et la réalité aussi. Or, on a bien l'impression que l'Amérique est faite d'une commutation fantastique d'éléments semblables, et que tout ne tient qu'au fil du rayon lumineux, d'un rayon laser qui balaie sous nos yeux la réalité américaine. Le spectral ici n'est pas le fantomal ou la danse des spectres, c'est le spectre de dispersion de la lumière.

Sur les collines parfumées de Santa Barbara, toutes les villas sont comme des *funeral homes*. Entre les gardenias et les eucalyptus, dans la profusion des espèces végétales et la monotonie de l'espèce humaine, c'est le destin funeste de l'utopie réalisée. Au cœur de la richesse et de la libération, c'est toujours la même question : « *What are you doing after the orgy?* » Que faire quand tout est disponible, le sexe, les fleurs, les stéréotypes de la vie et de la mort? C'est le problème de l'Amérique et, à travers elle, c'est devenu celui du monde entier.

Tout domicile est sépulcral, mais ici rien ne manque à la sérénité truquée. L'infâme omniprésence des plantes vertes, véritable hantise de la mort, les baies vitrées qui sont déjà comme le cercueil de Blanche-Neige, les massifs de fleurs pâles et naines qui s'étendent comme une sclérose en plaques, les innombrables ramifications techniques de la maison, sous la maison, autour de la maison, qui sont comme les tubes de perfusion et de réanimation d'un hôpital, la TV, la stéréo, la vidéo, qui assurent la com-

munication avec l'au-delà, la voiture, les voitures qui assurent la connection avec la centrale
mortuaire des achats, le supermarché — la
femme enfin et les enfants comme symptôme
radieux de la réussite... tout ici témoigne que la
mort a enfin trouvé son domicile idéal.

Le four à ondes, le broyeur à ordures,
l'élasticité orgastique de la moquette : cette
forme de civilisation, moelleuse et balnéaire,
évoque irrésistiblement la fin du monde. Toutes les activités ici ont une tonalité secrète de fin
du monde : ces érudits californiens monomaniaques de la latinité ou du marxisme, ces
sectes multiples monomaniaques de la chasteté
ou du crime, ces joggers somnambuliques dans
la brume, silhouettes échappées de la caverne
de Platon, ces débiles ou mongoliens bien réels
échappés des hôpitaux psychiatriques (cette
libération des fous dans la ville me semble un
signe sûr de la fin des temps, la levée du
dernier sceau de l'Apocalypse), ces obèses

échappés du laboratoire hormonal de leur propre corps, et ces plates-formes pétrolières – *oil sanctuaries* – veillant au large dans la nuit comme des casinos de luxe ou des vaisseaux extraterrestres...

Hyperréalisme délicieux
ascèse extatique
travelling multiprocessif
multidimensionnalité interinactive
De quoi planer

Western Digitals
Body Building Incorporated
Mileage illimited
Channel Zero

Le bar louche de Santa Barbara. Les bretelles rouges du joueur de billard. Foucault, Sartre, Orson Welles, tous les trois là au bar, qui parlent ensemble, avec une ressemblance frappante, et une conviction étrange. *Cocktail scenery.* L'odeur de violence, le relent de bière. *Hustling is prohibited.*

Sexe, plage et montagne. Sexe et plage, plage et montagne. Montagne et sexe. Quelques concepts. Sexe et concepts. *Just a life.*

Tout est repris par la simulation. Les paysages par la photographie, les femmes par le scénario sexuel, les pensées par l'écriture, le terrorisme par la mode et les media, les événements par la télévision. Les choses semblent n'exister que par cette destination étrange. On peut se demander si le monde lui-même n'existe qu'en fonction de la publicité qui peut en être faite dans un autre monde.

Lorsque la seule beauté est celle créée par la chirurgie esthétique des corps, la seule beauté urbaine celle créée par la chirurgie des espaces verts, la seule opinion celle créée par la chirurgie esthétique des sondages... et voici venir maintenant, avec la manipulation génétique, la chirurgie esthétique de l'espèce.

Une culture qui invente en même temps des instituts spécialisés pour que les corps viennent s'y toucher et des casseroles où l'eau *ne touche pas* le fond de la casserole, lequel est d'une matière tellement homogène, sèche et artificielle, que pas une seule goutte d'eau n'y adhère, de même que pas un seul instant ces corps enlacés dans le *feeling* et l'amour thérapeutique ne se touchent. On appelle ça l'interface ou l'interaction. Ça a remplacé le face-à-face et l'action, et ça s'appelle la communication. Car *ça communique* : le miracle est que le fond de la casserole *communique* sa chaleur à l'eau sans la toucher, dans une sorte d'ébullition à distance, comme un corps *communique* à l'autre son fluide, son potentiel érotique sans jamais le séduire ni le troubler, par une sorte de capillarité moléculaire. Le code de la séparation a tellement bien fonctionné qu'on est arrivé à séparer l'eau de la casserole et à faire que celle-ci transmette la chaleur *comme un message,* ou que tel corps transmette son désir à l'autre comme un message, comme un fluide à décoder. Ça s'appelle l'information, et ça s'est infiltré partout comme un leitmotiv phobique et maniaque qui touche aussi bien les relations érotiques que les instruments de cuisine.

Dans la même rage d'asepsie :

Le musée Getty, où les peintures anciennes apparaissent comme neuves, brillantes et oxygénées, décapées de toute patine et craquelures, dans un lustre artificiel à l'image du décor « *pompeian fake* » qui les entoure.

A Philadelphie : une secte radicale, MOVE, aux règles bizarres dont celle de refuser simultanément la pratique de l'autopsie et l'enlèvement des ordures, est balayée par la police américaine, qui fait périr onze personnes par le feu et incendie trente maisons tout autour, dont toutes celles, ô ironie, des voisins qui avaient réclamé l'élimination de la secte.

Là aussi on assainit, on élimine les ordures et

66

les craquelures, on rend les choses à leur état de propreté originelle, on restaure. *Keep America clean.*

Le sourire que chacun t'adresse en passant, crispation sympathique des maxillaires sous l'effet de la chaleur humaine. C'est l'éternel sourire de la communication, celui par lequel l'enfant s'éveille à la présence des autres, ou par lequel il s'interroge désespérément sur la présence des autres, l'équivalent du cri primal de l'homme seul au monde. Quoi qu'il en soit, on vous sourit ici, et ce n'est ni par courtoisie ni par séduction. Ce sourire ne signifie que la nécessité de sourire. C'est un peu comme celui du chat de Chester : il flotte encore sur les visages longtemps après que tout affect a disparu. Sourire à tout instant disponible, mais qui se garde bien d'exister et de se trahir. Il est sans arrière-pensée, mais il vous tient à distance. Il participe de la cryogénisation des affects, c'est d'ailleurs celui qu'affichera le mort dans son *funeral home,* ne perdant pas l'espoir de garder le contact, même dans l'autre monde. Sourire immunitaire, sourire publicitaire : « Ce pays est bon, je suis bon, nous sommes les meilleurs. » C'est aussi celui de Reagan, où culmine l'autosatisfaction de toute la nation américaine, et qui est en passe de devenir le seul principe de gouvernement. Sourire auto-prophétique, comme tous les signes publicitai-res : souriez, on vous sourira. Souriez pour montrer votre transparence, votre candeur. Souriez si vous n'avez rien à dire, ne cachez surtout pas que vous n'avez rien à dire, ou que les autres vous sont indifférents. Laissez trans-paraître spontanément ce vide, cette indiffé-rence profonde dans votre sourire, *faites don* aux autres de ce vide et de cette indifférence, illuminez votre visage du degré zéro de la joie et du plaisir, souriez, souriez... A défaut d'identité, les Américains ont une dentition merveilleuse.

Et ça marche. Reagan obtient par ce sourire un consensus bien supérieur à celui qu'obtiendrait n'importe quel Kennedy par la raison ou l'intelligence politique. L'appel à une pure congratulation animale ou infantile réussit beaucoup mieux, et tous les Américains convergent sur cette effet dentifriciel. Jamais aucune idée, ni même les seules valeurs nationales n'eussent produit un tel effet. La crédibilité de Reagan est à l'exacte mesure de sa transparence et de la nullité de son sourire.

Celui qui glisse sur sa planche à roulettes avec son walkman, l'intellectuel qui travaille sur son *word-processor*, le rapper du Bronx qui tournoie frénétiquement au Roxy ou ailleurs, le jogger, le *body-builder* : partout la même blanche solitude, partout la même réfraction narcissique, qu'elle s'adresse au corps ou aux facultés mentales.

Partout le mirage du corps est extraordinaire. C'est le seul objet sur lequel se concentrer, non comme source de plaisir, mais comme objet de sollicitude éperdue, dans la hantise de la défaillance et de la contre-performance, signe et anticipation de la mort, à laquelle personne ne sait plus donner d'autre sens que celui de sa prévention perpétuelle. Le corps est choyé dans la certitude perverse de son inutilité, dans la certitude totale de sa non-résurrection. Or le plaisir est un effet de résurrection du corps, par où il dépasse cet équilibre hormonal, vasculaire et diététique obsessionnel où on veut l'enfermer, cet exorcisme de la forme et de l'hygiène. Il faut donc faire oublier au corps le plaisir comme grâce actuelle, sa métamorphose possible en d'autres apparences, et le vouer à la préservation d'une jeunesse utopique et de toute façon perdue. Car le corps qui se pose la question de son existence est déjà à moitié mort, et son culte actuel, mi-yogesque, mi-extatique, est une préoccupation funèbre. Le soin qu'on prend de lui vivant préfigure le maquillage des *funeral homes,* au sourire *branché* sur la mort.

Car tout est là, dans le branchement. Il ne s'agit ni d'*être* ni même *d'avoir* un corps, mais d'être *branché* sur son corps. Branché sur le sexe, branché sur son propre désir. Connectés sur vos propres fonctions comme sur des différentiels d'énergie ou des écrans vidéo. Hédonisme branché : le corps est un scénario dont la curieuse mélopée hygiéniste court parmi les innombrables studios de reculturation, de musculation, de stimulation et de simulation qui vont de Venice à Tupanga Canyon, et qui décrivent une obsession collective asexuée.

A quoi répond l'autre obsession : celle d'être branché sur son propre cerveau. Ce que les gens contemplent sur l'écran de leur *word-processor*, c'est l'opération de leur propre cerveau. Ce n'est plus dans le foie ou les entrailles, ni même dans le cœur ou le regard qu'on cherche à lire, mais tout simplement dans le cerveau, dont on voudrait rendre visibles les milliards de connec-tions, et assister à son déroulement comme dans un *video-game*. Tout ce snobisme cérébral et électronique est d'une grande affectation − bien loin d'être le signe d'une anthropologie supérieure, ce n'est que le signe d'une anthropologie simplifiée, réduite à l'excroissance terminale de la moelle épinière. Mais rassurons-nous : tout ceci est moins scientifique et opérationnel qu'on ne pense. Tout ce qui nous fascine, c'est le *spectacle* du cerveau et de son fonctionnement. Nous aimerions que nous soit donné à voir le déroulement de nos pensées – et cela même est une superstition.

Ainsi l'universitaire aux prises avec son computer, corrigeant, remaniant, sophistiquant sans relâche, faisant de cet exercice une sorte de psychanalyse interminable, mémorisant tout pour échapper au résultat final, pour repousser l'échéance de la mort et celle, fatale, de l'écriture, grâce à un éternel *feed-back* avec la machine. Merveilleux instrument de magie exotérique – en fait toute interaction revient toujours à une interlocution sans fin avec une machine – voyez l'enfant et son computer à l'école : vous croyez qu'on l'a rendu interactif, qu'on l'a ouvert sur le monde? on a tout juste réussi à créer un circuit intégré enfant-machine. L'intellectuel, lui, a enfin trouvé l'équivalent de ce que le teenager avait trouvé dans la stéréo et le walkman : une désublimation spectaculaire de la pensée, la vidéographie de ses concepts!

Au Roxy, le bar insonorisé domine la piste comme les écrans dominent une salle de radio-guidage ou comme la cabine des techniciens surplombe le studio de télévision. La salle est un milieu fluorescent avec — illuminations ponctuelles, effets stroboscopiques, danseurs balayés par les faisceaux de lumière — les mêmes effets qu'un écran. *Et tout le monde en est conscient.* Aucune dramaturgie du corps aujourd'hui, aucune performance ne peut se passer d'un écran de contrôle — non pas pour se voir ou se réfléchir, avec la distance et la magie du miroir, non : comme réfraction instantanée et sans profondeur. La vidéo, partout, ne sert qu'à ça : écran de réfraction extatique qui n'a plus rien de l'image, de la scène ou de la théâtralité traditionnelle, qui ne sert pas du tout à jouer ou à se contempler, mais *à être branché sur soi-même*. Sans ce branchement circulaire, sans ce réseau bref et instantané qu'un cerveau, un objet, un événement, un discours créent en se branchant sur eux-mêmes, sans cette vidéo perpétuelle, rien n'a de sens aujourd'hui. Le stade vidéo a remplacé le stade du miroir.

Ce n'est pas du narcissisme, et on a tort d'abuser de ce terme pour décrire cet effet. Ce n'est pas un imaginaire narcissique qui se développe autour de la vidéo ou de la stéréoculture, c'est un effet d'autoréférence éperdue, c'est un court-circuit qui branche immédiatement le même au même, et donc souligne en même temps son intensité en surface et son insignifiance en profondeur.

C'est l'effet spécial de notre temps. Telle est aussi l'extase du polaroïd : tenir presque simultanément l'objet et son image, comme si se réalisait cette vieille physique, ou métaphysique, de la lumière, où chaque objet sécrète des doubles, des clichés de lui-même que nous captons par la vue. C'est un rêve. C'est la matérialisation optique d'un processus magique. La photo polaroïd est comme une pellicule extatique tombée de l'objet réel.

On arrête un cheval emballé, on n'arrête pas un jogger qui jogge. L'écume aux lèvres, fixé sur son compte à rebours intérieur, sur l'instant où il passe à l'état second, ne l'arrêtez surtout pas pour lui demander l'heure, il vous boufferait. Il n'a pas de mors aux dents, mais il tient éventuellement des haltères dans les mains, ou même des poids à la ceinture (où est le temps où les filles portaient des bracelets aux chevilles?). Ce que le stylite du IIIᵉ siècle cherchait dans le dénuement et dans l'immobilité orgueilleuse, lui le cherche dans l'exténuation musculaire du corps. Il est le frère en mortification de ceux qui se fatiguent consciencieusement dans les salles de remusculation, sur des mécaniques compliquées avec des poulies chromées et des prothèses médicales terrifiantes. Il y a une ligne directe qui mène des instruments de torture du Moyen Âge aux gestes industriels du travail à la chaîne, puis aux techniques de reculturation du corps par les prothèses mécaniques. Comme la diététique, comme *le body-building* et des tas d'autres choses, le jogging est une nouvelle forme de servitude volontaire (c'est aussi une nouvelle forme d'adultère).

Décidément, les joggers sont les véritables Saints des Derniers Jours et les protagonistes d'une Apocalypse en douceur. Rien n'évoque plus la fin du monde qu'un homme qui court seul droit devant lui sur une plage, enveloppé dans la tonalité de son walkman, muré dans le sacrifice solitaire de son énergie, indifférent même à une catastrophe puisqu'il n'attend plus sa destruction que de lui-même, que d'épuiser l'énergie d'un corps inutile à ses propres yeux.

Les primitifs désespérés se suicidaient en nageant au large jusqu'au bout de leurs forces, le jogger se suicide en faisant des aller et retour sur le rivage. Ses yeux sont hagards, la salive lui coule de la bouche, ne l'arrêtez pas, il vous frapperait, ou il continuerait de danser devant vous comme un possédé.

La seule détresse comparable est celle de l'homme qui mange seul debout en pleine ville. On voit ça à New York, ces épaves de la convivialité, qui ne se cachent même plus pour bouffer les restes en public. Mais ceci est encore une misère urbaine, industrielle. Les milliers d'hommes seuls qui courent chacun pour soi, sans égard aux autres, avec dans leur tête le fluide stéréophonique qui s'écoule dans leur regard, ça, c'est l'univers de *Blade Runner,* c'est *l'univers d'après la catastrophe.* N'être même pas sensible à la lumière naturelle de Californie, ni à cet incendie de montagnes poussé par le vent chaud jusqu'à dix milles au large, enveloppant de sa fumée les plates-formes pétrolières off-shore, ne rien voir de tout cela et courir obstinément par une sorte de flagellation lymphatique, jusqu'à l'épuisement sacrificiel, c'est un signe d'outre-tombe. Comme l'obèse qui n'arrête pas de grossir, comme le disque qui tourne indéfiniment sur le même sillon, comme les cellules d'une tumeur qui prolifèrent, comme tout ce qui a perdu sa formule pour s'arrêter. Toute cette société ici, y compris sa part active et productive, tout le monde court devant soi parce qu'on a perdu la formule pour s'arrêter.

Tous ces survêtements, *jogging suits,* shorts vagues et cotonnades flasques, *easy clothes* : tout ça, ce sont des hardes nocturnes, et tous ces gens qui courent et marchent décontractés ne sont en réalité pas sortis de l'univers de la nuit – à force de porter ces vêtements flottants, c'est leur corps qui flotte dans leurs vêtements, eux-mêmes qui flottent dans leur propre corps.

Culture anorexique : celle du dégoût, de

l'expulsion, de l'anthropoémie, du rejet. Caractéristique d'une phase obèse, saturée, pléthorique.

L'anorexique préfigure ceci plutôt poétiquement, en le conjurant. Il refuse le manque. Il dit : je ne manque de rien, donc je ne mange pas. L'obèse, c'est le contraire : il refuse le plein, la réplétion. Il dit : je manque de tout, donc je mange n'importe quoi. L'anorexique conjure le manque par le vide, l'obèse conjure le plein par le trop-plein. Ce sont toutes deux des solutions finales homéopathiques, des solutions d'extermination.

Une autre est celle du jogger, qui en quelque sorte se vomit lui-même, vomit son énergie dans sa course plutôt qu'il ne la dépense. Il faut qu'il atteigne l'extase de la fatigue, l'état second d'anéantissement mécanique, comme l'anorexique vise l'état second d'anéantissement organique, l'extase du corps vide, comme l'obèse vise l'état second d'anéantissement dimensionnel : l'extase du corps plein.

Dernière hantise de l'opinion publique américaine : l'abus sexuel envers les enfants *(sexual abuse)*. Un décret spécifie que les soins donnés aux enfants en bas âge le seront par deux soignants, de peur d'abus sexuels incontrôlables. Simultanément, les portraits d'enfants disparus décorent les sacs d'emballage des supermarchés.

Tout protéger, tout détecter, tout circonscrire — société obsessionnelle.

Save time. Save energy. Save money. Save our souls — société phobique.

Low tar. Low energy. Low calories. Low sex. Low speed — société anorexique.

Curieusement, dans cet univers où tout est à profusion, il faut tout sauver, tout épargner. Obsession d'une société jeune, soucieuse de protéger son avenir? L'impression est plutôt celle du pressentiment d'une menace, d'autant plus insidieuse qu'elle est injustifiée. C'est la profusion qui hallucine une sorte de retour de flamme du manque et de la pénurie, qu'il faut conjurer par des disciplines homéopathiques. Il n'y a pas d'autres raisons à cette diète, diététique collective, au contrôle écologique, à cette mortification des corps et des plaisirs. Tout une société s'organise pour conjurer la vengeance des divinités suralimentées, asphyxiées par la profusion. Bien sûr que notre problème fondamental est aujourd'hui de résister à l'obésité.

Tout recenser, tout stocker, tout mémoriser.

Ainsi les éléphants ensevelis dans le bitume liquide, dont les os se fossilisent dans cette viscosité noire et minérale, les lions, les mammouths, les loups qui frayaient dans ces plaines de Los Angeles et qui furent les premières victimes, préhistoriques, des nappes de pétrole – aujourd'hui embaumés pour la deuxième fois à Hancock Park, dans un musée catéchistique de la préhistoire. Tout cela présenté, selon le code moral, avec conviction – les Américains sont des gens *convaincus,* convaincus de tout et qui cherchent à convaincre. Un des aspects de leur bonne foi est cette obstination à tout reconstituer d'un passé et d'une histoire qui n'était pas la leur, et qu'ils ont largement détruite ou subtilisée. Les châteaux de la Renaissance, les éléphants fossiles, les Indiens dans les réserves, les séquoias en hologramme, etc.

Les Mormons de Salt Lake City, qui recensent toutes les âmes connues des contrées civilisées (blanches) sur leurs ordinateurs, ne font rien d'autre que ce que font partout, continuellement, l'ensemble des Américains, avec leur âme de missionnaires. Il n'est jamais trop tard pour faire revivre les origines. C'est leur destin à eux : puisqu'ils n'ont pas eu la primeur de l'histoire, ils auront celle d'immortaliser toutes choses par la reconstitution (cette fossilisation que la nature mettait des millions d'années à accomplir, ils y parviennent aujourd'hui instantanément par la muséification). Mais la conception qu'ont les Américains du musée est beaucoup plus vaste que la nôtre.

Tout mérite protection, embaumement, restauration. Tout est objet d'une seconde naissance, celle éternelle du simulacre. Non seulement les Américains sont missionnaires, mais ils sont anabaptistes : ayant loupé le baptême originel, ils rêvent de tout baptiser une seconde fois, et n'accordent de valeur qu'à ce sacrement ultérieur, qui est, comme on sait, la réédition du premier, mais *en plus vrai* — ce qui est la définition parfaite du simulacre. Tous les anabaptistes sont sectaires, et parfois violents, les Américains n'y échappent pas. Pour restituer les choses dans leur forme exacte, pour les présenter au Jugement dernier, ils sont prêts à détruire et à exterminer — Thomas Münzer était anabaptiste.

Ce n'est pas un hasard si ce sont les Mormons qui détiennent la plus grande entreprise de computerisation mondiale : le recensement de vingt générations d'âmes vivantes dans tous les pays du monde, recensement qui vaut comme nouveau baptême et promesse de salut. L'évangélisation est devenue une mission de mutants, d'extraterrestres, et si elle a progressé (?) ainsi, c'est grâce aux toutes dernières techniques de stockage des mémoires, et si cela a été possible, c'est grâce au puritanisme profond de l'informatique, discipline hautement calviniste et presbytérienne, qui a hérité de la rigidité universelle et scientifique des techniques de salut. Les méthodes contre-réformistes de l'Église catholique, avec ses pratiques sacramentelles naïves, ses cultes, ses croyances plus archaïques et populaires, n'ont jamais pu rivaliser avec cette modernité.

Executive Terminal
Basic Extermination
Metastatic Consumption

Partout la survie est à l'ordre du jour, comme par une obscure nausée de la vie ou un désir collectif de catastrophe (mais il ne faut pas prendre cela trop au sérieux : c'est aussi un jeu de la catastrophe). Bien sûr, toute cette panoplie de survie, y compris la diététique, l'écologie, la protection des séquoias, des phoques ou de l'espèce humaine, tend à prouver que nous sommes bien en vie (comme toutes les féeries imaginaires tendent à prouver que le monde réel est bien réel). Ce qui n'est pas si sûr. Car non seulement le fait de vivre n'est pas vraiment attesté, mais le paradoxe de cette société est qu'on n'y puisse même plus mourir, parce qu'on y est déjà mort... C'est ça le véritable suspense. Et il ne vient pas seulement du nucléaire, il vient aussi de la facilité de vivre, qui fait de nous des survivants. Avec le nucléaire, nous n'aurons ni le temps ni la conscience de mourir. Mais d'ores et déjà, dans cette société hyperprotégée, nous n'avons plus la conscience de mourir, puisque nous sommes subtilement passés dans la trop grande facilité de vivre.

L'extermination, c'était déjà cela, sous une forme anticipatrice. Ce qui était ôté aux déportés dans les camps de la mort, c'était la possibilité même de disposer de leur mort, d'en faire un jeu, un enjeu, un sacrifice : ils étaient spoliés de la faculté de mourir. C'est ce qui nous arrive à tous, à doses lentes et homéopathiques, de par le développement même de nos systèmes. L'explosion et l'extermination continuent (Auschwitz et Hiroshima), elles ont simplement pris une forme endémique purulente, mais la réaction en chaîne continue, la multiplication par contiguïté, le déroulement viral et bactériologique. La sortie de l'histoire, c'est justement l'inauguration de cette réaction en chaîne.

L'acharnement à survivre (et non pas à vivre) est un symptôme de cet état de choses, et sans doute le signe le plus inquiétant de dégradation de l'espèce. Car si l'on considère les formes qu'il prend actuellement, abris antiatomiques, cryogénisation, forcing thérapeutique, on voit que ce sont exactement celles de l'extermination. Pour ne pas mourir, on choisit de s'extrader dans une bulle de protection, quelle qu'elle soit. Dans ce sens, il faut prendre comme un indice réconfortant le fait que les populations se soient rapidement désintéressées de la protection atomique (le marché des abris est devenu un simple marché de prestige, comme celui des tableaux de maîtres ou des bateaux de luxe). Il semble que, las du chantage atomique, les gens aient pris le parti de ne plus y céder et de laisser flotter la menace de destruction, dans l'obscure conscience peut-être de son peu de réalité. Bel exemple de réaction vitale sous l'apparence de la résignation. « S'il faut mourir, mieux vaut à ciel ouvert que dans des sarcophages souterrains. » Du coup, le chantage à la survie cesse, et la vie continue.

Le grand scénario de la menace nucléaire, les négociations théâtrales, la « guerre des étoiles », tout le monde est fatigué de tant d'Apocalypse, et s'en préserve au fond par le manque d'imagination. Même quand on a voulu réveiller cette imagination par des films, *The Last Day,* etc., ça n'a pas marché, rien n'a jamais pu rendre crédible cette scène, ou cette obscénité nucléaire. Dans ces choses délicates (comme dans le cancer), l'imagination de la mort a pour conséquence d'attirer l'événement fatal. C'est donc un grand espoir et un fait politique de première importance que cette indifférence silencieuse des masses à l'égard du pathos nucléaire (qu'il vienne des puissances nucléaires ou des antinucléaires).

Dans un récit de science-fiction, quelques privilégiés se retrouvent un matin, dans un site de luxueuses villas de montagne, encerclés par un obstacle transparent et infranchissable, une muraille de verre née pendant la nuit. Du fond de leur confort vitrifié, ils entrevoient encore le monde extérieur, l'univers réel dont ils sont coupés, et qui du coup redevient l'univers idéal, mais il est trop tard. Les privilégiés mourront lentement dans leur aquarium, comme des poissons rouges. Certains campus me font la même impression.

Perdu dans les sapins, les champs, les rivières (c'est un ancien ranch dont on a fait cadeau à l'université), peuplé de pavillons invisibles les uns aux autres, comme les êtres humains qui y vivent, celui-ci, c'est Santa Cruz. C'est un peu le Triangle des Bermudes, comme Santa Barbara : tout y disparaît, tout y est absorbé. Décentrement total, communauté totale. Après la cité idéale, la niche idéale. Rien ne converge, ni la circulation, ni l'architecture, ni l'autorité. Mais du coup il est impossible aussi de manifester : où se rassembler? Les manifestations ne peuvent que tourner en rond dans la forêt, sous leur propre regard. De tous les campus californiens, célèbres pour leur espace et pour leur agrément, celui-ci est le plus idéalisé, le plus naturalisé. Il condense toutes les beautés. Des architectes célèbres en ont dessiné les édifices, tout autour s'étend la baie de Carmel et de Monterey. Si quelque part s'incarne la convivialité du futur, c'est bien ici. Mais justement, cette liberté protégée à la fois par le confort végétal et la franchise universitaire redevient prisonnière d'elle-même, enfermée dans une surprotection naturelle et sociale qui finit par donner les mêmes affres qu'un univers carcéral (le système carcéral, *grâce à ses murs,* peut, dans certaines conditions, évoluer vers l'utopie plus rapidement que le système social ouvert). Ici, la société s'est affranchie comme nulle part ailleurs, on a ouvert les hôpitaux psychiatriques, les transports sont gratuits — et paradoxalement cet idéal s'est refermé sur lui-même, comme derrière une muraille de verre.

Illusion paradisiaque et involutive, le « Mur du Pacifique », pour reprendre l'expression de Lyotard, serait cette muraille de cristal qui enferme la Californie dans sa béatitude. Mais alors que l'exigence du bonheur était jadis océanique et libératrice, ici elle s'enveloppe plutôt d'une quiétude fœtale. Y a-t-il encore des passions, des meurtres, de la violence dans cette étrange république feutrée, boisée, pacifiée, conviviale? Oui, mais une violence autistique, réactionnelle. Pas de crimes passionnels, mais des viols, ou ces meurtres d'une dizaine de femmes en deux ans, avant que le meurtrier soit découvert. Violence fœtale aussi gratuite qu'une écriture automatique, et qui évoque, plus qu'une agressivité réelle, la nostalgie des anciens interdits (pourquoi les viols s'accroissent-ils avec le taux de libération sexuelle?).

Sentimentalité de ces dortoirs mixtes ouverts sur la forêt, comme si la nature elle-même pouvait être conviviale et maternelle, garante de l'épanouissement sexuel et de l'écologie des mœurs, comme si la nature pouvait avoir un regard compatissant pour quelque société humaine que ce soit, comme si on pouvait avoir envers elle, une fois sortis de l'univers cruel de la magie, une relation autre que *stoïque,* autre que celle définie par les stoïciens, d'une nécessité imprévisible, impitoyable, à laquelle opposer un défi, une liberté plus grande encore. Ici, tout signe d'une fatalité héroïque a disparu. Tout baigne dans une réconciliation sentimentale avec la nature, avec le sexe, avec la folie, avec l'histoire aussi (à travers un marxisme revu et corrigé).

Santa Cruz, comme bien d'autres aspects de l'Amérique contemporaine, c'est *l'univers d'après l'orgie,* d'après les convulsions de la socialité et de la sexualité. Les rescapés de l'orgie — sexe, violence politique, guerre du Vietnam, croisade de Woodstock, mais aussi les luttes ethniques et anticapitalistes, et en même temps la passion de l'argent, la passion de réussir, les technologies dures, etc., tout cela, c'était l'orgie de la modernité — les rescapés en sont là, joggant dans la tribalité, voisine de la tribalité électronique de Silicon Valley. Désintensification, décentrement, climatisation, technologies douces. Le paradis. Mais une très légère modification, disons une conversion de quelques degrés, suffit à l'imaginer comme l'enfer.

Péripétie dans le champ sexuel. Finie l'orgie, finie la libération, on ne cherche plus le sexe, on cherche son « genre » *(gender),* c'est-à-dire à la fois son *look* et sa formule génétique. On ne balance plus entre le désir et la jouissance, mais entre sa formule génétique et son identité sexuelle (à trouver). Voici une autre culture érotique, après celle de l'interdit (« *What are your prerequisites for sex? — The door has to be locked, the lights have to be out, and my mother has to be in another State* »), voici celle de l'interrogation sur sa propre définition : « Suis-je sexué? De quel sexe suis-je? Y a-t-il finalement nécessité du sexe? Où est la différence sexuelle? » La libération a laissé tout le monde en état d'indéfinition (c'est toujours la même chose : une fois libéré, vous êtes forcé de vous demander qui vous êtes). Après une phase triomphaliste, l'assertion de la sexualité féminine est devenue aussi fragile que celle de la masculine. Personne ne sait où il en est. C'est pour ça qu'on fait tellement l'amour, ou qu'on fait tellement d'enfants : là au moins, c'est encore la preuve qu'il faut être deux, *donc qu'il existe encore une différence*. Mais pas pour longtemps. Déjà la *muscle-woman*, qui par le seul exercice de ses muscles vaginaux parvient à reproduire exactement la pénétration masculine, est un bon exemple d'autoréférentialité et d'économie de la différence — elle au moins a trouvé son générique.

Mais le problème plus général est celui de l'indifférence, liée à la récession des caractéristiques sexuelles. Les signes du masculin inclinent vers le degré zéro, mais les signes du féminin aussi. C'est dans cette conjoncture qu'on voit se lever les nouvelles idoles, celles qui relèvent le défi de l'indéfinition et qui jouent à mélanger les genres. *Gender benders*. Ni masculin, ni féminin, mais non plus homosexuel. Boy George, Michaël Jackson, David Bowie... Alors que les héros de la génération précédente incarnaient la figure explosive du sexe et du plaisir, ceux-ci posent à tous la question du *jeu* de la différence et de leur propre indéfinition. Ces idoles sont des exceptions. La plupart sont à la recherche d'un « modèle du genre », d'une formule générique, à défaut d'une identité. Il faut trouver un différentiel de singularité. Pourquoi pas dans la mode, ou dans la génétique? Un *look* vestimentaire, ou un *look* cellulaire. N'importe quelle idiotie est bonne, n'importe quel idiome. La question de la différence est plus cruciale que celle de la jouissance. Est-ce là la version modale, post-moderne, d'une libération sexuelle désormais révolue (en tout cas, elle n'est plus à la mode), ou s'agit-il d'une mutation biosociologique de la perception de soi, sur la base de la disparition de la priorité du sexuel, qui avait caractérisé toute l'époque moderne? *Gender Research : a New Frontier?*

A la limite, il n'y aurait plus le masculin et le féminin, mais une dissémination de sexes individuels ne se référant qu'à eux-mêmes, chacun se gérant comme une entreprise autonome. Fin de la séduction, fin de la différence, et glissement vers un autre système de valeurs. Paradoxe étonnant : la sexualité pourrait redevenir un problème secondaire, comme elle le fut dans la plupart des sociétés antérieures, et sans commune mesure avec d'autres systèmes symboliques plus forts (la naissance, la hiérarchie, l'ascèse, la gloire, la mort). La preuve serait faite que la sexualité n'était somme toute qu'un des modèles possibles, et non le plus décisif. Mais quels peuvent être aujourd'hui ces nouveaux modèles (car tous les autres ont disparu entre-temps)? Ce qu'on peut entrevoir, c'est un type d'idéal performant, d'accomplissement génétique de sa propre formule. Dans les affaires, les affects, les entreprises ou les plaisirs, chacun cherchera à développer son programme optimal. Chacun son code, chacun sa formule. Mais aussi chacun son *look,* chacun son image. Alors, quelque chose comme un *look* génétique?

Irvine : nouvelle Silicon Valley. Usines électroniques sans ouverture, comme des circuits intégrés. Zone désertique vouée aux ions et aux électrons, supra-humaine, relevant d'une décision inhumaine. L'ironie veut que ce soit là, dans les collines d'Irvine, qu'on ait tourné *la Planète des singes.* Mais, sur la pelouse, les écureuils américains nous disent que tout va bien, que l'Amérique est bonne avec les bêtes, avec elle-même et avec le reste du monde, que dans le cœur de chacun il y a un écureuil qui sommeille. Toute la philosophie de Walt Disney vous mange dans la main avec ces jolies petites bêtes sentimentales en fourrure grise. Je crois au contraire que derrière l'œil tendre de chacune d'elles se cache un être glacé et féroce, dont la peur vous guette... Sur la même pelouse où courent les écureuils reste planté un panneau de je ne sais quelle société de Jésus : *Vietnam Cambodia Libanon Granada — We are a violent society in a violent world!*

Halloween n'a rien de drôle. Cette fête sarcastique reflète plutôt une exigence infernale de revanche des enfants sur le monde adulte. Puissance maléfique dont la menace plane sur cet univers, à la mesure de sa dévotion pour les enfants eux-mêmes. Rien de plus malsain que cette sorcellerie enfantine, derrière les déguisements et les cadeaux — les gens éteignent les lumières et se cachent, de peur d'être harcelés. Et ce n'est pas un accident si certains fourrent des aiguilles ou des lames de rasoir dans les pommes ou les gâteaux qu'ils leur distribuent.

Les rires à la télévision américaine ont remplacé le chœur de la tragédie grecque. Ils sont inexorables, et n'épargnent guère que les *news*, la Bourse et le bulletin météorologique. Mais on continue de les entendre, par la force de l'obsession, derrière la voix de Reagan ou le désastre des Marines à Beyrouth, voire derrière la publicité. C'est le monstre d'*Alien* qui rôde dans tous les circuits de la fusée. C'est l'exhilaration sarcastique d'une culture puritaine. Ailleurs, on laisse au spectateur le soin de rire. Ici, son rire est porté sur l'écran, intégré au spectacle, c'est l'écran qui rit, c'est lui qui s'amuse. Il ne vous reste que la consternation.

Le Vietnam à la télévision (pléonasme, puisque c'était déjà une guerre télévisée). Les Américains luttent avec deux armes essentielles : l'aviation et l'information. C'est-à-dire le bombardement physique de l'ennemi et le bombardement électronique du reste du monde. Ce sont des armes non territoriales, alors que toutes les armes des Vietnamiens, toute leur tactique viennent de la race et du territoire.

C'est pourquoi la guerre a été gagnée des deux côtés : par les Vietnamiens sur le terrain, par les Américains dans l'espace mental électronique. Et si les uns ont remporté une victoire idéologique et politique, les autres en ont tiré *Apocalypse now,* qui a fait le tour du monde.

La hantise américaine, c'est que les feux s'éteignent. Les lumières brûlent toute la nuit dans les maisons. Dans les tours, les bureaux vacants restent illuminés. Sur les *freeways,* en plein jour, les voitures roulent tous phares allumés. Dans Palms Ave à Venice, une petite *grocery* où on vend de la bière, dans un quartier où personne ne circule après sept heures du soir, fait clignoter sa publicité au néon vert et orange toute la nuit, dans le vide. Sans parler de la télévision programmée vingt-quatre heures sur vingt-quatre, et qui souvent fonctionne de façon hallucinante dans les pièces vides de la maison ou dans les chambres d'hôtel inoccupées – ainsi l'hôtel de Porterville, où les rideaux étaient déchirés, l'eau coupée, les portes battantes, mais sur l'écran fluorescent de chaque chambre le speaker décrivait l'envol de la navette spatiale. Rien de plus mystérieux qu'une télé qui marche dans une pièce vide, c'est bien plus étrange qu'un homme qui parle seul ou une femme qui rêve devant ses casseroles. On dirait qu'une autre planète vous parle, tout à coup la télé se révèle pour ce qu'elle est : vidéo d'un autre monde et ne s'adressant au fond à personne, délivrant indifféremment ses images, et indifférente à ses propres messages (on l'imagine très bien fonctionnant encore après la disparition de l'homme). Bref, en Amérique, on n'accepte pas de voir s'installer la nuit ou le repos, ni de voir cesser le processus technique. Il faut que tout fonctionne tout le temps, qu'il n'y ait pas de répit à la puissance artificielle de l'homme, que soit levée l'intermittence des cycles naturels (les saisons, le jour et la nuit, le chaud et le froid) au profit d'un continuum fonctionnel souvent absurde (même refus au fond de l'intermittence du vrai et du faux : tout est vrai, et de celle du bien et du mal : tout est bien). On peut invoquer la peur ou la hantise, et dire que cette dépense improductive est un travail de deuil. Mais ce qui est absurde est aussi admirable. Les *skylines* illuminés en pleine nuit, les climatiseurs qui réfrigèrent les motels vides dans le désert, la lumière artificielle en plein jour ont quelque chose d'insensé et d'admirable. Luxe idiot d'une civilisation riche, aussi anxieuse de l'extinction des feux que le chasseur dans sa nuit primitive? Il y a quelque chose de tout cela. Mais ce qui frappe, c'est la fascination de l'artifice, de l'énergie, de l'espace, non seulement de l'espace naturel : l'espace est spacieux dans leur tête aussi.

Toutes les puissances mondiales ont construit un jour leur allée monumentale, donnant un raccourci perspectif de l'infini de l'empire. Mais les Aztèques à Teotihuacan ou les Égyptiens dans la vallée des Rois ou encore Louis XIV à Versailles édifient cette synthèse avec une architecture qui leur est propre. Ici, à Washington, l'immense perspective qui va du Lincoln Memorial au Capitole est faite de musées qui se succèdent les uns aux autres, résumant notre univers entier du paléolithique au spatial. Cela donne à l'ensemble un air de science-fiction, comme si on avait voulu rassembler ici tous les signes de l'aventure et de la culture terrestre pour le regard d'un extraterrestre. Du coup, la Maison-Blanche, sise juste à côté et veillant discrètement sur le tout, apparaît elle-même comme un musée, le musée de la puissance mondiale, parée d'une distance et d'une blancheur prophylactique.

Rien n'égale le survol de Los Angeles la nuit. Une sorte d'immensité lumineuse, géométrique, incandescente, à perte de vue, qui éclate dans l'interstice des nuages. Seul l'enfer de Jérôme Bosch donne cette impression de brasier. Fluorescence voilée de toutes les diagonales, Wilshire, Lincoln, Sunset, Santa Monica. En survolant San Fernando Valley, c'est déjà l'infini horizontal, dans toutes les directions. Mais, passé la montagne, c'est une ville dix fois plus immense qui saute aux yeux. Jamais le regard n'aura été livré à une telle extension, la mer elle-même ne donne pas cette impression, car elle n'est pas géométriquement divisée. Le scintillement irrégulier, dispersé, des villes européennes ne livre pas non plus de parallèles, de points de fuite, de perspectives aériennes. Ce sont des villes du Moyen Age. Celle-ci condense la nuit toute la géométrie future des réseaux de relations humaines, flamboyantes dans leur abstraction, lumineuses dans leur étendue, sidérales dans leur reproduction à l'infini. Mulholland Drive la nuit, c'est le point de vue d'un extraterrestre sur la planète Terre, ou inversement c'est la vision d'un terrien sur la métropole galactique.

L'aurore à Los Angeles, sur les collines de Hollywood. On sent distinctement que le soleil n'a fait qu'effleurer l'Europe pour venir se lever enfin ici, sur cette géométrie plane où sa lumière est encore celle, toute neuve, des confins du désert.

Palmiers pédoncules oscillant devant le *billboard* électrique, seuls signes verticaux de cette géométrie plane.

A 6 heures du matin, un homme téléphone déjà d'une cabine publique devant Beverley Terrace. Les publicités nocturnes s'effacent, celles du jour s'éclairent. La lumière partout révèle et illumine l'absence d'architecture. C'est

ce qui rend belle cette ville, intime et chaleu-
reuse quoi qu'on en dise : c'est qu'elle est
amoureuse de son horizontalité sans limites,
comme New York peut l'être de sa verticalité.

Los Angeles Freeways.
Gigantesque spectacle spontané de la circulation automobile. Un acte collectif total, mis
en scène par la population entière, vingt-quatre
heures sur vingt-quatre. Grâce à l'ampleur du
dispositif, et à l'espèce de complicité qui noue
tout ce réseau sanguin, la circulation ici atteint
à la hauteur d'une attraction dramatique et
d'une organisation symbolique. Les machines
elles-mêmes, avec leur fluidité et leur conduite
automatique, ont créé un milieu qui leur
ressemble, où on s'insère en douceur, sur lequel
on se branche comme sur une chaîne de
télévision. Contrairement à nos autoroutes
européennes, qui constituent des axes direction-
nels, exceptionnels, et restent des lieux d'expulsion (Virilio), le système des *freeways* est un

lieu d'intégration (on raconte même que des familles y circulent perpétuellement en *mobil-home* sans jamais en sortir). Il crée un état d'esprit différent, tel que le conducteur européen y renonce très vite à ses pratiques aggressives et débrouillardes, à ses réactions individuelles, pour adopter la règle de ce jeu collectif. Quelque chose de la liberté de circulation dans les déserts se retrouve ici, dont Los Angeles, de par sa structure extensive, n'est qu'un fragment habité. Les *freeways* ne dénaturent donc pas la ville ou le paysage, elles le traversent et le dénouent sans altérer le caractère désertique de cette métropole, et elles répondent idéalement au seul plaisir profond, qui est celui de circuler.

Pour qui connaît les autoroutes américaines, il y a une litanie des signes. *Right lane must exit.* Ce *must exit* m'a toujours frappé comme un signe du destin. Il faut sortir, s'expulser de ce paradis, quitter cette autoroute providentielle qui ne mène nulle part, mais où je suis en compagnie de tout le monde. Seule véritable société, seule chaleur ici, celle d'une propulsion, d'une compulsion collective, celle des lemmings dans leur cataracte suicidaire, pourquoi devrais-je m'y arracher pour retomber dans une trajectoire individuelle, dans une vaine responsabilité? *Must exit :* c'est une condamnation, celle du joueur qu'on exile de la seule forme, inutile et glorieuse, d'existence collective. *Through traffic merge left :* on vous dit tout, on vous annonce tout. La seule lecture des signes indispensables à la survie crée une sensation extraordinaire de lucidité réflexe, de « participation » réflexe, immédiate et en douceur. De participation fonctionnelle, à laquelle correspondent des gestes précis. Les flux qui divergent sur Ventura Freeway et San Diego Freeway ne se quittent pas, ils se séparent. A toute heure du jour, sensiblement le même nombre bifurquent vers Hollywood, les autres vers Santa Monica. Énergie pure, statistique, déroulement rituel – la régularité des flux met fin aux destinations individuelles. C'est le charme des cérémonies : vous avez tout l'espace devant vous, comme les cérémonies ont tout le temps devant elles.

Il ne s'agit pas de faire la sociologie ou la psychologie de l'automobile. Il s'agit de rouler pour en savoir plus long sur la société que toutes les disciplines réunies.

Cette manière de bondir des automobiles américaines, de décoller en souplesse, due à la conduite automatique et à la direction assistée. S'arracher sans effort, dévorer l'espace sans bruit, glisser sans secousse (le profil des routes et des autoroutes est remarquable, égal à la fluidité des mécaniques), freiner en douceur quoique instantanément, progresser comme sur un coussin d'air, n'avoir plus l'obsession de ce qui vient devant, ou de ce qui vous dépasse (ici, il y a une convention tacite du roulement collectif, en Europe il n'y a que le code de la route) – tout ça crée une expérience nouvelle de l'espace, et de tout le système social du même coup. L'intelligence de la société américaine réside tout entière dans une anthropologie des mœurs automobiles – bien plus instructives que les idées politiques. Faites dix mille miles à travers l'Amérique, et vous en saurez plus long sur ce pays que tous les instituts de sociologie ou de science politique réunis.

Sans doute la ville a précédé le système autoroutier, mais désormais c'est comme si la métropole s'était construite autour de ce réseau artériel. De même la réalité américaine a précédé l'écran, mais, telle qu'elle est aujourd'hui, tout laisse à penser qu'elle est construite en fonction de l'écran, qu'elle est la réfraction d'un écran gigantesque, non pas comme un jeu d'ombres platoniciennes, mais dans le sens où tout est comme porté et auréolé par la lumière de l'écran. Avec le flux et la mobilité, l'écran et sa réfraction sont une détermination fondamentale de l'événement de tous les jours. Le cinétique et le cinématique confondus donnent une configuration mentale, une perception globale différente de la nôtre. Car cette précession de la mobilité, de l'écran sur la réalité, vous ne l'avez jamais au même titre en Europe, où les choses gardent le plus souvent la forme statique du territoire et la forme palpable des substances.

En fait, le cinéma n'est pas là où on pense, et surtout pas dans les studios qu'on visite en foule, succursales de Disneyland – Universal Studios, Paramount, etc. Si on considère que tout l'Occident s'hypostasie dans l'Amérique, l'Amérique dans la Californie, et celle-ci dans MGM et Disneyland, alors c'est ici le microcosme de l'Occident.

En fait, c'est la déchéance et la dérision de l'illusion cinématographique qu'on vous présente ici, de même qu'à Disneyland une parodie de l'imaginaire. L'ère fastueuse de l'image et des stars est réduite à quelques effets de tornades artificielles, de fausses architectures minables et de truquages infantiles auxquels la foule fait mine de se laisser prendre pour ne pas trop souffrir de sa déception. *Ghost towns, ghost people.* Tout ça respire la même désuétude que Sunset ou Hollywood Boulevard, on en sort avec le sentiment d'avoir subi un test de simulation infantile. Où est le cinéma? Il est partout dehors, partout dans la ville, film et scénario incessants et merveilleux. Partout, sauf ici.

Ce n'est pas le moindre charme de l'Amérique qu'en dehors même des salles de cinéma, tout le pays est cinématographique. Vous parcourez le désert comme un western, les métropoles comme un écran de signes et de formules. C'est la même sensation que de sortir d'un musée italien ou hollandais pour entrer dans une ville qui semble le reflet même de cette peinture, comme si elle en était issue, et non l'inverse. La ville américaine semble elle aussi issue vivante du cinéma. Il ne faut donc pas aller de la ville à l'écran, mais de l'écran à la ville pour en saisir le secret. C'est là où le cinéma ne revêt pas de forme exceptionnelle, mais où il investit la rue, la ville entière d'une ambiance mythique, c'est là qu'il est véritablement passionnant. C'est pourquoi le culte des stars n'est pas une figure seconde, mais la forme glorieuse du cinéma, sa transfiguration mythique, le dernier grand mythe de notre modernité. Justement parce que l'idole n'est qu'une pure image contagieuse, un idéal violemment réalisé. On dit : elles font rêver – mais c'est autre chose de rêver et d'être fasciné par des images. Or, les idoles de l'écran sont immanentes au déroulement de la vie en images. Elles sont un système de préfabrication luxueuse, synthèses brillantes des stéréotypes de la vie et de l'amour. *Elles n'incarnent qu'une seule passion : celle de l'image,* et l'immanence du désir à l'image. Elle ne font pas rêver, elles *sont* le rêve, dont elles ont toutes les caractéristiques : elles produisent un fort effet de condensation (de cristallisation), de contiguïté (elles sont immédiatement contagieuses), et surtout : elles ont ce caractère de matérialisation visuelle instantanée *(Anschaulichkeit)* du désir qui est aussi celui du rêve. Elles ne portent donc pas à l'imagination romanesque ou sexuelle, elles sont visibilité immédiate, transcription immédiate, collage matériel, précipitation du désir. Des fétiches, des objets-fétiches, qui n'ont rien à voir avec l'imaginaire, mais avec *la fiction matérielle de l'image.*

Il y aura en 1989 à Los Angeles les Jeux Olympiques révolutionnaires, le bicentenaire de la Révolution française. Le flambeau de l'Histoire passe sur la côte ouest, c'est normal, tout ce qui disparaît en Europe ressuscite à San Francisco. Supposons la reconstitution des grandes scènes révolutionnaires en hologrammes géants, des archives minutieuses, une filmothèque complète, les meilleurs acteurs, les meilleurs historiens — dans un siècle on ne verra plus la différence, ce sera comme si la Révolution avait eu lieu ici. Si la villa Getty à Malibu était brusquement ensevelie, quelle différence y aurait-il dans quelques siècles avec les ruines de Pompéi?

Que feraient les promoteurs du bicentenaire si une nouvelle révolution éclatait d'ici 1989? Pas question, c'est exclu. On aurait bien envie pourtant que l'événement réel court-circuite le simulacre, ou que le simulacre tourne à la catastrophe. Ainsi, dans Universal Studios, on espère à chaque instant que les effets spéciaux tournent au drame réel. Mais c'est là une dernière nostalgie qu'a exploitée le cinéma lui-même (*Westworld, Future World*).

Les Olympiades — happening total, participation collective à l'autocélébration nationale. *We did it!* Nous sommes les meilleurs. Modèle reaganien. Il aurait fallu une nouvelle Leni Riefenstahl pour filmer ce nouveau Berlin 1936. Tout sponsorisé, tout euphorique, tout *clean*, événement totalement publicitaire. Pas

d'accident, pas de catastrophe, pas de terrorisme, pas de blocage des *freeways,* pas de
panique et... pas de Soviétiques. Bref, une
image du monde idéal, offerte au monde
entier. Mais, après l'orgasme national, une sorte
de mélancolie collective s'empare des Angeli-
nos. C'est en quoi cette métropole est encore
provinciale.

Dans cette métropole centrifuge, si tu des-
cends de ta voiture, tu es un délinquant, dès
l'instant où tu te mets à marcher, tu es une
menace pour l'ordre public, comme les chiens
errants sur les routes. Seuls les immigrés du
Tiers Monde ont le droit de marcher. C'est leur
privilège en quelque sorte, lié à celui de
l'occupation du cœur vide des métropoles.
Pour les autres, la marche, la fatigue, l'activité
musculaire sont devenues des biens rares, des
services qui se vendent très cher. Ainsi s'inver-
sent ironiquement les choses. De même, les
files d'attente devant les restaurants de luxe où

les boîtes à la mode sont souvent plus longues que devant les soupes populaires. C'est ça la démocratie, les signes les plus pauvres auront toujours au moins une chance de devenir à la mode.

Un des problèmes spécifiques des États-Unis, c'est la gloire, en partie à cause de son extrême rareté de nos jours, mais aussi en raison de son extrême vulgarisation. « Dans ce pays, chacun a ou aura été célèbre au moins dix minutes. » (Andy Warhol.) Et c'est vrai — comme celui-ci qui s'est trompé d'avion et s'est trouvé transporté à Auckland, Nouvelle-Zélande, au lieu d'Oakland, près de San Francisco. Cette péripétie en a fait le héros du jour, il est interviewé partout, on tourne un film sur lui. Dans ce pays en effet, la gloire ne revient pas à la plus haute vertu, ni à l'acte héroïque, mais à la singularité du plus petit destin. Il y en a donc absolument pour tout le monde, puisque plus l'ensemble du système est conforme, plus il y a de millions d'invididus que distingue une infime anomalie. La moindre vibration d'un modèle statistique, le moindre caprice d'un computer suffisent à auréoler un comportement anormal, fût-il des plus banals, d'une gloire éphémère.

Tel aussi ce Christ tout blanc portant une lourde croix dans Main Street, Venice. Il fait très chaud. On a envie de lui dire : ça a déjà été fait il y a deux mille ans. Mais justement, il n'invente pas. Il porte simplement sa croix comme d'autres portent sur leur voiture le badge : *Jesus save, Know Jesus,* etc. On peut lui faire remarquer que personne, absolument personne ne le voit, et qu'il passe dans l'indifférence et la dérision générales. Mais il répondra : c'est exactement comme ça que ça s'est passé il y a deux mille ans.

Le sommet de l'hôtel Bonaventure. Sa structure de métal et ses baies vitrées tournent lentement autour du bar-cocktail. Le déplacement extérieur des gratte-ciel est à peine sensible. Puis on prend conscience que c'est la plate-forme du bar qui est mobile, le reste de l'immeuble étant fixe. Finalement, j'arrive à voir tourner la ville entière autour du sommet immobile. Sentiment vertigineux, qui se prolonge à l'intérieur de l'hôtel par les circonvolutions labyrinthiques de l'espace. Architecture purement illusionniste, pur gadget spatio-temporel, est-ce encore de l'architecture? Ludique et hallucinogène, est-ce là l'architecture postmoderne?

Pas d'interface intérieur/extérieur. Les façades de verre ne font que refléter l'environnement et lui renvoyer sa propre image. Elles sont donc bien plus infranchissables que n'importe quelles murailles de pierre. Exactement comme les gens qui portent des lunettes noires. Le regard est caché derrière, et l'autre ne voit que son propre reflet. Partout la transparence de l'interface finit dans la réfraction interne. Walkman, lunettes noires, électro-ménager automatique, voiture multicontrôles et jusqu'au dialogue perpétuel avec l'ordinateur, tout ce qu'on appelle pompeusement communication et interaction finit dans le repli de chaque monade à l'ombre de sa propre formule, dans sa niche autogérée et son immunité artificielle. Les buildings comme le Bonaventure prétendent être une microville parfaite, qui se suffit à elle-même. Mais ils se retranchent de la ville plutôt qu'ils n'interagissent avec elle. Ils ne la voient plus. Ils la réfractent comme une surface noire. On ne peut plus en sortir. L'espace intérieur de celui-ci est d'ailleurs inextricable, mais sans mystère, comme dans ces jeux où il faut joindre tous les points sans qu'aucune ligne se recoupe. Ici aussi, tout communique sans que jamais deux regards se croisent.

C'est la même chose dehors.

Un homme camouflé, avec un long bec, des plumes et une cagoule jaune, un fou déguisé circule sur les trottoirs de *downtown,* et personne, personne ne le regarde. On ne regarde pas les autres ici. On a bien trop peur qu'ils se jettent sur vous avec une demande insupportable, sexuelle, de fric ou d'affection. Tout est chargé d'une violence somnambulique, et il faut éviter le contact pour échapper à cette décharge potentielle. Les fous ayant été libérés, chacun est pour l'autre un fou virtuel. Tout est tellement informel, il y a si peu de retenue et de manières (seul l'éternel sourire pelliculaire, qui est une bien frêle protection) qu'on sent que n'importe quoi peut éclater à chaque instant, qu'une réaction en chaîne peut électriser d'un seul coup toute cette hystérie latente. Même sentiment à New York, où la panique est comme un parfum caractéristique des rues de la ville, parfois elle prend la forme d'une gigantesque panne, comme celle de 1976.

Tout autour, les façades en verre fumé sont comme les visages : des surfaces dépolies. C'est comme s'il n'y avait personne à l'intérieur, comme s'il n'y avait personne derrière les visages. Et il n'y a *réellement* personne. Ainsi va la ville idéale.

First International Bank. Crocker Bank. Bank of America. Pentecostal Savings (non, ça, c'est une église). Toutes ramassées au cœur des villes, avec les grandes compagnies aériennes. L'argent est fluide, c'est comme la grâce, il n'est jamais vôtre. Venir le réclamer est une offense à la divinité. Avez-vous mérité cette faveur? Qui êtes-vous, et qu'allez-vous en faire? Vous êtes suspect de vouloir en faire usage, un usage infect forcément, alors que l'argent est si beau dans son état fluide et intemporel, tel qu'il est dans la banque, investi au lieu d'être dépensé. Honte à vous, et baisez la main qui vous le donne.

C'est vrai que la propriété de l'argent brûle, comme le pouvoir, et qu'il faut des gens pour en prendre le risque, ce dont nous devrions leur être éternellement reconnaissants. C'est pourquoi j'hésite à déposer de l'argent dans une banque, j'ai peur de ne jamais oser le reprendre. Quand vous allez vous confesser et que vous laissez en dépôt vos péchés dans la conscience du confesseur, est-ce que vous venez jamais les récupérer? L'ambiance est d'ailleurs celle de la confession (pas de situation plus kafkaïenne que la banque) : avouez que vous avez de l'argent, avouez que ce n'est pas normal. Et c'est vrai : avoir de l'argent est une situation fausse, dont la banque vous délivre : « votre argent m'intéresse » — elle vous fait chanter, sa concupiscence est sans bornes. Son regard impudique vous révèle vos parties honteuses, et vous êtes forcé de vous livrer pour l'assouvir. J'ai voulu un jour vider mon compte et retirer tout en espèces. Le banquier s'est refusé à me laisser partir avec une telle somme : c'était obscène, dangereux, immoral. Est-ce que je ne voulais pas au moins des travellers? Non, tout en liquide. J'étais fou : en Amérique, vous êtes fou à lier si au lieu de croire à l'argent et à sa fluidité merveilleuse, vous prétendez le porter sur vous en espèces. L'argent est sale, c'est vrai. Il n'est pas trop de tous ces sanctuaires de béton et de métal pour nous en protéger. La banque assure donc une fonction sociale cruciale, et il est tout à fait logique que ses édifices constituent le cœur monumental des villes.

Une des plus belles choses qui soient, à l'aube : le *pier* de Santa Monica, avec la vague blanche qui déferle, le ciel gris à l'horizon de Venice, l'hôtel vert pâle ou turquoise qui domine les sables, et les motels dégradés aux lampes poisseuses, aux murs couverts de graffiti, qui se succèdent à l'abandon. Les premières vagues déjà hantées par quelques surfers insomniaques, les palmiers tellement mélancoliques avec leur grâce des années folles, et le Merry-go-round. La courbe qui va vers Long Beach est aussi vaste que la baie d'Ipanema à Rio, à laquelle seule elle peut se comparer. Mais à la différence de Rio, au front de mer orgueilleux, luxueux et prétentieux (mais beau quand même), ici la ville s'achève presque en terrain vague dans l'océan, comme un faubourg de bains de mer, dont elle garde le charme brumeux. Ici, à l'aube, c'est un des rivages les plus insignifiants du monde, presque un rivage de pêcheurs. L'Occident s'achève sur un rivage dénué de signification, comme un voyage qui perd son sens en arrivant à son terme. L'immense métropole de Los Angeles vient échouer sur la mer comme un désert, avec la même oisiveté.

LIVE OR DIE : mystérieux graffiti sur le môle de Santa Monica. Car enfin il n'y a pas le choix entre la vie et la mort. Si tu vis, tu vis, si tu meurs, tu meurs. C'est comme de dire : sois toi-même ou ne le sois pas! C'est idiot, et pourtant c'est énigmatique. On peut entendre qu'il faut vivre intensément, ou disparaître, mais ceci est banal. Sur le modèle de : *Pay or die!* La bourse ou la vie! cela devient : La vie ou la vie! Idiot encore une fois, la vie ne s'échange pas contre elle-même. Pourtant il y a une puissance poétique dans cette tautologie implacable, comme partout où il n'y a rien à comprendre. Finalement, la leçon de ce graffiti est peut-être : plus idiot que moi tu meurs!

Là où ils passent leur temps dans les bibliothèques, je le passe dans les déserts et sur les routes. Là où ils tirent leur matière de l'histoire des idées, je ne tire la mienne que de l'actualité, du mouvement de la rue ou des beautés naturelles. Ce pays est naïf, il faut y être naïf. Tout ici est encore à l'image d'une société primitive : les technologies, les media, la simulation totale (bio, socio, stéréo, vidéo) se développent à l'état sauvage, à l'état originel. L'insignifiance a de l'envergure, et le désert reste la scène primitive, même dans les métropoles. Démesure de l'espace, simplicité du langage et des caractères...

Mes territoires de chasse, ce sont les déserts, les montagnes, les *freeways*, Los Angeles, les *safeways*, les *ghost towns* ou les *downtowns*, non les conférences de l'université. Les déserts, leurs déserts, je les connais mieux qu'eux, qui tournent le dos à leur propre espace comme les Grecs tournaient le dos à la mer, et je tire du désert plus de choses sur la vie concrète, sociale, de l'Amérique, que j'en tirerais jamais d'une socialité officielle ou intellectuelle.

La culture américaine est l'héritière des déserts. Ceux-ci ne sont pas une nature en contrepoint des villes, ils désignent le vide, la nudité radicale qui est à l'arrière-plan de tout établissement humain. Ils désignent du même coup les établissements humains comme une métaphore de ce vide, et l'œuvre de l'homme comme la continuité du désert, la culture comme mirage, et comme perpétuité du simulacre.

Les déserts naturels m'affranchissent sur les déserts du signe. Ils m'apprennent à lire en même temps la surface et le mouvement, la géologie et l'immobilité. Ils créent une vision expurgée de tout le reste, les villes, les relations, les événements, les media. Ils induisent une

126

vision exaltante de la désertification des signes et des hommes. Ils constituent la frontière mentale où viennent échouer les entreprises de la civilisation. Ils sont hors de la sphère et de la circonférence des désirs. Il faut toujours en appeler aux déserts du trop de signification, du trop d'intention et de prétention de la culture. Ils sont notre opérateur mythique.

ROMERO SADDLE – CAMINO CIELO – BLUE CANYON – QUICK SILVER MINE – SYCAMORE CANYON – SAN RAPHAËL WILDERNESS

A la nuit tombante, après trois heures de route, je suis perdu dans la San Rafaël Wilderness. En roulant toujours plus avant vers les dernières lueurs du jour, puis à celle des phares dans le sable de la rivière, je passe, je ne passe pas? Les ténèbres tombent tout autour, avec la perspective d'y passer la nuit, mais le whisky crée un sentiment délicieux d'abandon. Enfin, après deux heures de piste, et descente aux enfers, résurrection dans le ciel, sur la crête,

Camino Cielo, avec la vue aérienne et nocturne des lumières de Santa Barbara.

PORTERVILLE

Arrivée par des forêts d'orangers rectilignes, d'un vert profond et géométrique, au flanc des collines fauves, comme celles de Toscane, couvertes d'herbe ondoyante comme une fourrure animale. Une allée de cinquante palmiers, d'une égale hauteur et d'une symétrie absolue, mène à une maison de planteur, minuscule en comparaison, dont tous les volets sont fermés. Ce pourrait être une vision coloniale, mais c'est le flanc ouest des montagnes Rocheuses, au pied du Sequoia National Park. Descente dans une ville qui n'en est pas une, aussi rectiligne que les orangers et peuplée d'esclaves mexicains qui ont racheté les vieilles Chevrolet de leurs maîtres, celles des années 50. La descente se fait par une allée de lauriers-roses. Mais la révélation, c'est la ville elle-même, totalement, et à un point inintelligible pour nous, dépourvue de centre. Remonter, redescendre toutes les rues sans pouvoir déterminer quoi que ce soit qui ressemblerait à un point central. Même pas de banques, de bâtiments administratifs, de mairie, la ville n'a pas de coordonnées, elle est comme une plantation. Le seul signe vivant : le drapeau américain, tout près du centre mort, l'hôtel, seul édifice à trois étages, dont les rideaux déchirés flottent dans le vent chaud de cette fin d'après-midi, par les vitres brisées. Les chambres n'ouvrent même pas, l'hôtelier mexicain ne trouve pas les clefs. Les prix sont dérisoires. Vous pouvez y passer une semaine pour vingt dollars. Et pourtant, dans chaque chambre dont les matelas sont éventrés et les glaces ternies de poussière, la télévision marche en permanence, pour aucun client apparemment, dans les chambres ouvertes à tout vent, et dans celles qui n'ouvrent même plus. On peut voir les télévisions de la rue, leur reflet tout au moins, à travers les rideaux. Tous les couloirs, dont la moquette est usée jusqu'à la trame, n'offrent qu'un seul signe : EXIT. On peut sortir dans toutes les directions. Vous pouvez louer ici trois chambres pendant une semaine pour le prix d'une nuit dans un motel habituel. C'était sans doute un hôtel pour la société riche de Bakersfield, il y a quarante ans, quand elle s'évadait vers la fraîcheur des montagnes. Aujourd'hui, c'est toujours le cœur de Porterville, livré à une dégradation sans appel. Mais il fait trop chaud pour s'en soucier.

La nuit descend lentement sur Porterville, et la fièvre de Saturday Night commence. *American Graffiti* 85. Toutes les voitures montent et descendent les deux miles de l'artère principale, dans une procession lente ou vive, une parade collective, buvant, mangeant des glaces, s'interpellant d'une voiture à l'autre (alors que tout le monde dans la journée circule sans se voir), musique, sono, bière, ice-cream. Toutes proportions gardées, c'est la même cérémonie que le lent déroulement nocturne sur le Strip de Las Vegas, ou la procession automobile sur les autoroutes de Los Angeles, simplement convertie en féerie provinciale du samedi soir. Seul élément de culture, seul élément mobile : la voiture. Pas de centre culturel, pas de centre de distraction. Société primitive : même identification motrice, même phantasme collectif de déroulement – breakfast, *movie,* service religieux, l'amour et la mort, tout en voiture –, la vie entière en *drive-in*. Grandiose. Tout revient à ce défilé de scaphandres lumineux et silencieux (car tout se passe dans un silence relatif, pas de changements de vitesse ni de dépassements, ce sont les mêmes monstres fluides à conduite automatique, glissant souplement dans la foulée les uns des autres). Il ne se passera rien d'autre de la nuit. Sauf, dans un coin de la ville, sous la lumière des projecteurs, dans la poussière soulevée par les chevaux, près du terrain de base-ball, la course folle des filles de douze à quinze ans, de vraies filles de western, un concours. Et, le lendemain matin, le dimanche matin, les rues désertes, à peine distinctes du désert, sont d'un calme surnaturel. L'air est transparent, avec les orangers tout autour. Après le cérémonial automobile de la nuit, tout est laissé à la lumière des avenues trop larges, des *store houses* éteints, des stations-service à peine éveillées. Lumière naturelle, orpheline, sans phares ni publicités lumineuses — seuls quelques Mexicains maraudent déjà dans de longues voitures, et les premiers Blancs lavent les leurs devant leur véranda ouverte. Insignifiance lumineuse du dimanche matin. Micro-modèle holographique de toute l'Amérique.

La Death Valley est toujours aussi grande et mystérieuse. Feu, chaleur, lumière, tous les éléments du sacrifice. Il faut toujours amener quelque chose en sacrifice au désert, et le lui offrir comme victime. Une femme. Si quelque chose doit y disparaître, quelque chose d'égal à la beauté du désert, pourquoi pas une femme?

Rien n'est plus étranger aux déserts américains que la symbiose (les vêtements flottants, les rythmes lents, les oasis), telle qu'on peut la

132

trouver dans les cultures autochtones du désert. Ici, tout ce qui est humain est artificiel. Furnace Creek est une oasis de synthèse climatisée. Mais rien n'est plus beau que la fraîcheur artificielle au cœur de la chaleur, que la vitesse artificielle au cœur des espaces naturels, que la lumière électrique en plein soleil, ou la pratique artificielle du jeu dans les casinos perdus. Rainer Bunham a raison : Death Valley et Las Vegas sont inséparables, il faut accepter tout ensemble, la durée immuable et l'instantanéité la plus folle. Il y a une affinité mystérieuse entre la stérilité des espaces et celle du jeu, entre la stérilité de la vitesse et celle de la dépense. C'est ça l'originalité des déserts de l'Ouest, dans cette juxtaposition violente et électrique. Et c'est la même chose pour le pays entier : il faut accepter tout en bloc, car c'est ce télescopage qui fait le côté *illuminating, exhilarating,* du mode de vie américain, de même que dans le désert tout fait partie de la magie du désert. Si vous considérez cette société avec les nuances du jugement moral, esthétique ou critique, vous en effacerez

133

l'originalité, qui vient justement de défier le jugement et d'opérer une confusion prodigieuse des effets. En esquivant cette confusion et cet excès, vous échappez simplement au défi qu'elle vous lance. La violence des contrastes, l'indistinction des effets positifs ou négatifs, le télescopage des races, des techniques, des modèles, la valse des simulacres et des images ici est telle que, comme pour les éléments du rêve, vous devez en accepter la succession même inintelligible, vous devez faire de ce mouvement le fait irrésistible et fondamental.

Les distinctions qu'on fait ailleurs n'ont que peu de sens ici. Il est vain de distinguer des traits d'une civilité américaine souvent en effet bien supérieure à la nôtre (pays de « haute culture ») et de constater par ailleurs que ce sont des barbares. Il est vain d'opposer Death Valley comme phénomène naturel sublime et Las Vegas comme phénomène culturel abject. Car l'un est la face cachée de l'autre, et ils se répondent de part et d'autre du désert, comme le comble de la prostitution et du spectacle au comble du secret et du silence.

Cela dit, la Death Valley a quelque chose de mystérieux *en soi*. Quelque beauté qu'offrent les déserts de l'Utah et de la Californie réunis, celui-ci est autre chose, et de sublime. La brume de chaleur surnaturelle qui l'enveloppe, sa profondeur inverse, au-dessous du niveau de la mer, la réalité sous-marine de ce paysage, avec les surfaces de sel et les *mudhills,* l'encerclement des hautes montagnes, qui en fait une sorte de sanctuaire intérieur – un lieu initiatique, qui tient de la profondeur géologique et des limbes, doux et spectral. Ce qui m'a toujours frappé, c'est *la douceur* de la Vallée de la Mort, le pastel de ses couleurs, le voile fossile, la fantasmagorie brumeuse de son opéra minéral. Rien de funèbre ni de morbide : une transverbération où tout est palpable, la douceur minérale de l'air, la substance minérale de la lumière, le fluide corpusculaire de la couleur, l'extraversion totale du corps dans la chaleur. Un fragment d'une autre planète (d'avant toute espèce humaine en tout cas), porteur d'une autre temporalité, plus profonde, à la surface de laquelle vous flottez comme sur une eau lourde. Ce qui engourdit les sens, l'esprit, et tout sentiment d'appartenance à l'espèce humaine, c'est d'avoir devant soi le signe pur, inaltéré, de cent quatre-vingts millions d'années, et donc l'énigme impitoyable de votre propre existence. C'est le seul endroit où il soit possible de revivre, en même temps que le spectre physique des couleurs, le spectre des métamorphoses inhumaines qui nous ont précédés, nos devenirs successifs : minéral, végétal, désert de sel, dune de sable, roc, minerai, lumière, chaleur, tout ce que la terre a pu être, toutes les formes inhumaines par où elle est passée, réunies en une seule vision anthologique.

Le désert est une extension naturelle du silence intérieur du corps. Si le langage, les techniques, les édifices de l'homme sont une extension de ses facultés constructives, le désert seul est une extension de sa faculté d'absence, le schème idéal de sa forme disparue. Quand on sort du Mojave, dit Bunham, il est difficile d'accommoder à moins de quinze miles. L'œil ne peut plus se reposer sur les objets proches. Il ne peut plus exactement se poser sur les choses, et toutes les constructions humaines ou naturelles qui viennent intercepter la vue lui semblent des obstacles fastidieux qui ne font que corrompre l'étendue parfaite du regard. Sorti du désert, l'œil se reprend partout à faire mentalement le vide parfait, il ne peut qu'imaginer le désert en filigrane de toutes les zones habitées, de tous les paysages. La désaccoutumance est longue, et n'est jamais totale. Écartez de moi toute substance... Mais le désert est autre chose qu'un espace qu'on aurait débarrassé de toute substance. De même que le silence n'est pas ce dont on aurait ôté tout bruit. Il n'est pas besoin de fermer les yeux pour l'entendre. Car c'est le silence du temps aussi.

Ici à Death Valley, il ne manque même pas le raccourci cinématographique. Car toute cette géologie mystérieuse est aussi un scénario. Le désert américain est une dramaturgie extraordinaire, pas théâtrale du tout, comme les sites alpestres, si sentimentale, comme la forêt ou la campagne. Ni érodée et monotone comme le désert australien, sublunaire. Ni mystique comme les déserts de l'Islam. Il est purement géologiquement dramatique, associant les formes les plus aiguës et les plus ductiles aux formes sous-marines les plus douces et les plus lascives – tout le métamorphisme de l'écorce terrestre est là dans une synthèse, un raccourci miraculeux. Toute l'intelligence de la terre et de ses éléments rassemblée ici, dans un spectacle sans égal : superproduction géologique. Le cinéma n'est pas le seul à nous avoir donné une vision cinématographique du désert, la nature elle-même a réussi ici, bien avant les hommes, son plus bel effet spécial.

Inutile de chercher à décinématographier le désert pour lui garder une qualité originelle, la surimpression est totale, et elle continue. Les Indiens, les *mesas,* les canyons, les ciels : le cinéma a tout absorbé. Et pourtant, c'est le spectacle le plus saisissant du monde. Faut-il préférer les déserts « authentiques » et les oasis profondes? Pour nous modernes et ultra-modernes, comme pour Baudelaire qui a su saisir dans l'artifice le secret de la véritable modernité, seul est saisissant le spectacle naturel qui livre en même temps la profondeur la plus émouvante *et le simulacre total de cette profondeur.* Comme ici, où la profondeur du temps apparaît à travers la profondeur du champ (cinématographique). Monument Valley, c'est la géologie de la terre, c'est le mausolée des Indiens, et c'est la caméra de John Ford. C'est l'érosion, c'est l'extermination, mais c'est aussi le travelling et l'audiovision. Tous les trois sont mêlés dans la vision que nous en avons. Et chaque phase met fin d'une façon subtile à la précédente. L'extermination des Indiens met fin au rythme cosmologique naturel de ces paysages auxquels fut

liée depuis des millénaires leur existence magique. A un processus extrêmement lent s'en est
substitué un beaucoup plus rapide, avec la
civilisation des pionniers. Mais celui-ci même
s'est trouvé relayé cinquante ans plus tard par
le travelling cinématographique, qui accélère
encore le processus et d'une certaine façon met
fin à la disparition des Indiens, en les ressusci-
tant comme figurants. Ce paysage se trouve
ainsi dépositaire de tous les événements géologiques et anthropologiques, jusqu'aux plus
récents. D'où la scénographie exceptionnelle
des déserts de l'Ouest, en ce qu'ils réunissent le
hiéroglyphe le plus ancestral, la luminosité la
plus vive, et la superficialité la plus totale.

La couleur y est comme subtilisée et déta-
chée de la substance, diffractée dans l'air et
flottant à la surface des choses — d'où l'impression spectrale, *ghostly* et en même temps voilée,
translucide, calme et nuancée des paysages. De
là l'effet de mirage, mirage du temps aussi, si

proche de l'illusion totale. Les roches, les sables, les cristaux, les cactus sont éternels, mais aussi éphémères, irréels et détachés de leur substance. La végétation est minimale, mais indestructible, et chaque printemps y éclate le miracle des fleurs. Par contre la lumière, elle, est substantielle, pulvérisée dans l'air, elle donne à toutes les teintes cette nuance pastel caractéristique, qui est comme l'image de la désincarnation, de la séparation de l'âme et du corps. Dans ce sens, on peut parler de l'abstraction du désert, d'une délivrance organique, au-delà de la transition abjecte du corps vers l'inexistence charnelle. Phase sèche, phase lumineuse de la mort, où la corruption du corps s'achève. Le désert est au-delà de cette phase maudite de la pourriture, de cette phase humide du corps, de cette phase organique de la nature.

Le désert est une forme sublime qui éloigne de toute socialité, de toute sentimentalité, de toute sexualité. La parole, même complice, est toujours de trop. La caresse n'a pas de sens, sauf si la femme elle-même est désertique, d'une animalité instantanée et superficielle, où le charnel alors s'ajoute à la sécheresse et à la désincarnation. Mais rien n'égale, dans un autre sens, et sous le sceau du silence, la tombée de la nuit sur la Vallée de la Mort, sur la véranda devant les dunes, dans les fauteuils du motel, épuisés, transparents. La chaleur ne tombe pas, seule la nuit tombe, trouée de quelques phares automobiles. Le silence est inouï, ou plutôt il est tout ouïe. Ce n'est pas celui du froid, ni de la nudité, ni de l'absence de vie, c'est celui de toute la chaleur sur l'étendue minérale devant nous, sur des centaines de miles, celui du vent léger sur les boues salées du Badwater, et qui caresse les gisements métalliques du Telephon Peak. Silence intérieur à la Vallée elle-même, silence de l'érosion sous-marine, en dessous de la ligne de flottaison du temps comme en dessous du niveau de la mer. Pas de mouvement animal, rien ne rêve ici, rien ne parle en rêve, chaque soir la terre y plonge dans des ténèbres parfaitement calmes, dans le noir de sa gestation alcaline, dans la dépression bienheureuse de son enfantement.

Bien avant de partir, je ne vis déjà plus que dans le souvenir de Santa Barbara. Santa Barbara n'est qu'un rêve avec tous les processus du rêve : l'accomplissement fastidieux de tous les désirs, la condensation, la translation, la facilité... tout cela devient très vite irréel. O les beaux jours! Ce matin, un oiseau est venu mourir sur le balcon, je l'ai photographié. Mais nul n'est indifférent à sa propre vie, et la moindre péripétie en est encore émouvante. J'étais ici en imagination bien avant d'y venir, du coup ce séjour est devenu celui d'une vie antérieure. Les dernières semaines, le temps était comme multiplié par le sentiment de n'être déjà plus là et de vivre chaque jour Santa Barbara, avec sa douceur fatale et sa fadeur, comme le lieu prédestiné d'un éternel retour.

Tout disparaît de plus en plus vite dans le rétroviseur de la mémoire. Deux mois et demi s'effacent en quelques instants de décalage mental, plus rapides même que le *jet lag*. Difficile de garder vivante l'admiration, l'illumination de la surprise, difficile de garder aux choses leur prégnance. Elles ne durent jamais plus longtemps que le temps où elles se produisent. C'était une douce habitude jadis que de revoir des films, elle se perd. Je doute qu'on revoie désormais toute sa vie en un instant au moment de mourir. L'éventualité même de l'Éternel Retour devient précaire : cette perspective merveilleuse suppose que les choses soient prises dans une succession nécessaire et fatale, qui les dépasse. Rien de tel aujourd'hui, où elles sont prises dans une succession molle et sans lendemain. L'Éternel Retour est celui de l'infiniment petit, du fractal, la répétition obsessionnelle d'une échelle microscopique et inhumaine, ce n'est pas l'exaltation d'une volonté, ni l'affirmation souveraine d'un événement, ni sa consécration par un signe immuable comme le voulait Nietzsche, c'est la récurrence virale des micro-processus, inéluctable certes, mais qu'aucun signe puissant ne rend fatale à l'imagination (ni l'explosion nucléaire, ni l'implosion virale ne peuvent être *nommées* par l'imagination). Tels sont les événements qui nous entourent : microprocessifs et instantanément effacés.

Revenir de Californie, c'est rentrer dans un univers déjà vu, déjà vécu, mais sans le charme d'une vie antérieure. On l'avait laissé là dans l'espoir qu'il se métamorphose en votre absen-ce, mais il n'en est rien. Il s'est très bien passé de vous, et il s'accommode très bien de votre retour. Les gens et les choses s'arrangent pour faire comme si vous n'étiez pas parti. Moi-même j'ai quitté tout cela sans remords et je le retrouve sans émotion. Les gens sont préoccu-pés mille fois plus par leurs petites histoires que par l'étrangeté d'un autre monde. Il est donc conseillé d'atterrir avec discrétion, de redescendre poliment en retenant votre souffle, et les quelques visions qui brillent encore dans votre mémoire.

Plutôt qu'un rapprochement, la confrontation entre l'Amérique et l'Europe fait apparaître une distorsion, une coupure infranchissable. Ce n'est pas seulement un décalage, c'est un abîme de modernité qui nous sépare. On naît moderne, on ne le devient pas. Et nous ne le sommes jamais devenus. Ce qui saute aux yeux à Paris, c'est le XIXᵉ siècle. Venu de Los Angeles, on atterrit dans le XIXᵉ siècle. Chaque pays porte une sorte de prédestination historique, qui en marque presque définitivement les traits. Pour nous, c'est le modèle bourgeois de 89 et la décadence interminable de ce modèle qui dessine le profil de notre paysage. Rien n'y fait : tout tourne ici autour du rêve bourgeois du XIXᵉ siècle.

L'utopie réalisée

L'Amérique correspond pour l'Européen, encore aujourd'hui, à une forme sous-jacente de l'exil, à un phantasme d'émigration et d'exil, et donc à une forme d'intériorisation de sa propre culture. En même temps, elle correspond à une extraversion violente, et donc au degré zéro de cette même culture. Aucun autre pays n'incarne à ce point cette fonction de désincarnation, et tout ensemble d'exacerbation, de radicalisation, des données de nos cultures européennes... C'est par un coup de force, ou un coup de théâtre, celui de l'exil géographique redoublant, chez les Pères Fondateurs du XVIIᵉ siècle, l'exil volontaire de l'homme dans sa propre conscience, que ce qui était resté en Europe ésotérisme critique et religieux se transforme sur le Nouveau Continent en exotérisme pragmatique. Toute la fondation américaine répond à ce double mouvement d'un approfondissement de la loi morale dans les consciences, d'une radicalisation de l'exigence utopique qui fut toujours celle des sectes, et de la matérialisation immédiate de cette utopie dans le travail, les mœurs et le mode de vie. Atterrir en Amérique, c'est atterrir, aujourd'hui encore, dans cette « religion » du mode de vie dont parlait Tocqueville. L'exil et l'émigration ont cristallisé cette utopie matérielle du mode de vie, de la réussite et de l'action comme illustration profonde de la loi morale, et l'ont en quelque sorte transformée en scène primitive. Nous, en Europe, c'est la révolution de 1789 qui nous a marqués, mais non pas du même sceau : du sceau de l'Histoire, de l'État et de l'Idéologie. La politique et l'histoire restent notre scène primitive, non la sphère utopique et morale. Et si cette révolution « transcendante » à l'européenne n'est plus guère assurée aujourd'hui de ses fins ni de ses moyens, on ne saurait en dire autant de celle, immanente, du mode de vie américain, de cette assertion morale et pragmatique qui constitue, aujourd'hui comme hier, le pathétique du Nouveau Monde.

L'Amérique est la version originale de la modernité, nous sommes la version doublée ou sous-titrée. L'Amérique exorcise la question de l'origine, elle ne cultive pas d'origine ou d'authenticité mythique, elle n'a pas de passé ni de vérité fondatrice. Pour n'avoir pas connu d'accumulation primitive du temps, elle vit dans une actualité perpétuelle. Pour n'avoir pas connu d'accumulation lente et séculaire du principe de vérité, elle vit dans la simulation perpétuelle, dans l'actualité perpétuelle des signes. Elle n'a pas de territoire ancestral, celui des Indiens est circonscrit aujourd'hui dans des réserves qui sont l'équivalent des musées où elle stocke les Rembrandt et les Renoir. Mais c'est sans importance — l'Amérique n'a pas de problèmes d'identité. Or la puissance future est dédiée aux peuples sans origine, sans authenticité, et qui sauront exploiter cette situation jusqu'au bout. Voyez le Japon, qui dans une certaine mesure réalise ce pari mieux que les États-Unis eux-mêmes, réussissant, dans un paradoxe pour nous inintelligible, à transformer la puissance de la territorialité et de la féodalité en celle de la déterritorialité et de l'apesanteur. Le Japon est déjà un satellite de la planète Terre. Mais l'Amérique fut déjà en son temps un satellite de la planète Europe. Qu'on le veuille ou non, le futur s'est déplacé vers les satellites artificiels.

Les États-Unis, c'est l'utopie réalisée.

Il ne faut pas juger de leur crise comme de la nôtre, celle des vieux pays européens. La nôtre est celle d'idéaux historiques en proie à leur réalisation impossible. La leur est celle de l'utopie réalisée confrontée à sa durée et à sa permanence. La conviction idyllique des Américains d'être le centre du monde, la puissance suprême et le modèle absolu n'est pas fausse. Et elle ne se fonde pas tant sur les ressources, les techniques et les armes, que sur le présupposé miraculeux d'une utopie incarnée, d'une société qui, avec une candeur qu'on peut juger insupportable, s'institue sur l'idée qu'elle est la réalisation de tout ce dont les autres ont rêvé — justice, abondance, droit, richesse, liberté : elle le sait, elle y croit, et finalement les autres y croient aussi.

Tout le monde finit par se retourner, dans la crise actuelle des valeurs, vers la culture qui a osé, par un coup de force théâtral, les matérialiser sans attendre, vers celle qui, grâce à la rupture géographique et mentale de l'émigration, a pu penser créer de toutes pièces un monde idéal — il ne faut pas négliger la consécration phantasmatique de tout cela par le cinéma. Quoi qu'il arrive, et quoi qu'on pense de l'arrogance du dollar ou des multinationales, c'est cette culture qui fascine mondialement ceux mêmes qui ont à en souffrir, et ce de par cette conviction intime et délirante d'avoir matérialisé tous leurs rêves.

Pas si délirante que cela d'ailleurs : toutes les sociétés pionnières ont été plus ou moins des sociétés idéales. Même les jésuites du Paraguay. Même les Portugais du Brésil ont fondé en quelque sorte une société patriarcale et esclavagiste idéale, mais à la différence du modèle nordiste, anglo-saxon et puritain, le modèle sudiste ne pouvait guère s'universaliser dans le monde moderne. En s'exportant, en s'hypostasiant au-delà des mers, l'idéal s'expurge de son histoire, se concrétise, se développe avec un sang neuf et une énergie expérimentale. Le dynamisme des « nouveaux mondes » témoigne toujours de leur supériorité sur leur patrie d'origine : ils opérationnalisent l'idéal que les autres cultivaient comme fin dernière et secrètement impossible.

La colonisation fut dans ce sens un coup de théâtre mondial qui laisse des traces profondes et nostalgiques partout, même lorsqu'elle s'effondre. Elle représente pour le Vieux Monde l'expérience unique d'une commutation idéalisée des valeurs, presque comme dans un roman de science-fiction (dont elle garde souvent la tonalité, comme aux USA), et qui du coup court-circuite le destin de ces valeurs dans les pays d'origine. Le surgissement de ces sociétés à la marge abolit le destin des sociétés historiques. En extrapolant brutalement leur essence outre-mer, ces dernières perdent le contrôle de leur évolution. Le modèle idéal qu'elles ont sécrété les annule. Et jamais plus l'évolution ne reprendra sous forme d'alignement progressif. Le moment, pour des valeurs jusque-là transcendantes, de leur réalisation, de leur projection ou de leur effondrement dans le réel (l'Amérique) est un moment irréversible. C'est ce qui, quoi qu'il arrive, nous sépare des Américains. Nous ne les rattraperons jamais, et nous n'aurons jamais cette candeur. Nous ne faisons que les imiter, les parodier avec cinquante ans de retard, et sans succès d'ailleurs. Il nous manque l'âme et l'audace de ce qu'on pourrait appeler le degré zéro d'une culture, la puissance

155

de l'inculture. Nous avons beau nous adapter plus ou moins, cette vision du monde nous échappera toujours, tout comme la *Weltanschauung* transcendantale et historique de l'Europe échappera toujours aux Américains. Pas plus que les pays du Tiers Monde n'intérioriseront jamais les valeurs de démocratie et de progrès technologique — les coupures définitives existent et ne se ravalent pas.

Nous resterons des utopistes nostalgiques déchirés par l'idéal, mais répugnant au fond à sa réalisation, professant que tout est possible, mais jamais que tout est réalisé. Telle est l'assertion de l'Amérique. Notre problème à nous est que nos vieilles finalités — révolution, progrès, liberté — se seront évanouies avant d'avoir été atteintes, sans avoir pu se matérialiser. D'où la mélancolie. Nous n'aurons jamais la chance de ce coup de théâtre.

Nous vivons dans la négativité et la contradiction, eux vivent dans le paradoxe (car c'est une idée paradoxale que celle d'une utopie réalisée). Et la qualité du mode de vie américain réside pour beaucoup dans cet humour pragmatique et paradoxal, alors que le nôtre se caractérise (se caractérisait?) par la subtilité de l'esprit critique. Bien des intellectuels américains nous l'envient, et voudraient se refaire des valeurs idéales, une histoire, revivre les délices philosophiques ou marxistes de la vieille Europe. A contre-courant de tout ce qui fait leur situation originale, puisque le charme et la puissance de l'(in)culture américaine viennent justement de la matérialisation soudaine et sans précédent des modèles.

Quand je vois des Américains, surtout intellectuels, loucher avec nostalgie sur l'Europe, son histoire, sa métaphysique, sa cuisine, son passé, je me dis qu'il s'agit là d'un transfert malheureux. L'histoire et le marxisme sont comme les vins fins et la cuisine : ils ne franchissent pas vraiment l'océan, malgré les tentatives émouvantes pour les acclimater. C'est la revanche justifiée du fait que nous,

Européens, n'avons jamais pu apprivoiser vraiment la modernité, qui se refuse elle aussi à franchir l'océan, mais dans l'autre sens. Il y a des produits qui ne souffrent pas d'import-export. Tant pis pour nous, tant pis pour eux. Si pour nous la société est une fleur carnivore, pour eux l'histoire est une fleur exogène. Son parfum n'est pas plus convaincant que le bouquet des vins californiens (on veut nous faire croire le contraire aujourd'hui, mais il n'en est rien).

Non seulement l'histoire ne se rattrape pas, mais il semble que l'actualité même du capital, dans cette société « capitaliste », ne se rattrape jamais. Ce n'est pourtant pas faute, chez nos critiques marxistes, de courir après le capital, mais il a toujours une longueur d'avance. Quand on en démasque une phase, il est déjà passé à une phase ultérieure (E. Mandel et sa troisième phase du capital mondial). Le capital est fourbe, il ne joue pas le jeu de la critique, le vrai jeu de l'histoire, il déjoue la dialectique, qui ne le reconstitue qu'après coup, avec une révolution de retard. Même les révolutions anticapitalistes ne servent qu'à relancer la sienne propre : elles sont l'équivalent des *exogenous events* dont parle Mandel, comme les guerres ou les crises, ou la découverte des mines d'or, qui relancent le processus du capital sur d'autres bases. Finalement, tous ces théoriciens démontrent eux-mêmes l'inanité de leurs espoirs. En réinventant le capital à chaque phase, sur la base du primat de l'économie politique, ils font la preuve de l'initiative absolue du capital comme événement historique. Ils se tendent ainsi un piège à eux-mêmes, et s'ôtent toute chance de le dépasser. Ce qui assure du même coup — c'est peut-être là leur objectif — la perpétuité de leur analyse à retardement.

L'Amérique n'a jamais manqué de violence, ni d'événements, ni d'hommes, ni d'idées, mais tout ça ne fait pas une histoire. Octavio Paz a raison d'affirmer que l'Amérique s'est créée dans le dessein d'échapper à l'histoire, d'édifier une utopie à l'abri de l'histoire, qu'elle y a en partie réussi, et qu'elle persiste aujourd'hui dans ce dessein. L'histoire comme transcendance d'une raison sociale et politique, comme vision dialectique et conflictuelle des sociétés, ce concept-là n'est pas le leur — de même que la modernité, comme rupture originelle d'avec une certaine histoire justement, ne sera jamais le nôtre. Nous vivons depuis assez longtemps maintenant dans la conscience malheureuse de cette modernité pour le savoir. L'Europe a inventé un certain type de féodalité, d'aristocratie, de bourgeoisie, d'idéologie et de révolution : tout ça a eu du sens pour nous, mais au fond nulle part ailleurs. Tous ceux qui ont voulu singer cela se sont ridiculisés ou dramatiquement fourvoyés (nous-mêmes ne faisons plus guère que nous imiter et nous survivre). L'Amérique, elle, s'est trouvée en position de rupture et de modernité radicale : c'est donc là que la modernité est originale, et nulle part ailleurs. Nous ne pouvons faire que l'imiter, sans pouvoir la défier sur son propre terrain. Une fois qu'un événement a eu lieu, il a eu lieu, un point c'est tout. Et quand je vois l'Europe loucher sur la modernité à tout prix, je me dis qu'il s'agit là aussi d'un transfert malheureux.

Nous sommes toujours au centre, mais au centre du Vieux Monde. Eux qui furent une transcendance marginale de ce Vieux Monde en sont aujourd'hui le centre neuf et excentrique. L'excentricité est leur acte de naissance. Nous ne pourrons jamais la leur ravir. Nous ne pourrons jamais nous excentrer, nous décentrer de la même façon, nous ne serons donc jamais modernes au sens propre du terme, et nous n'aurons jamais la même liberté – non pas celle, formelle, que nous tenons pour assurée, mais celle concrète, flexible, fonctionnelle, active, que nous voyons jouer dans l'institution américaine, et dans la tête de chaque citoyen. Notre conception de la liberté ne pourra jamais rivaliser avec la leur, spatiale et mobile, qui découle du fait qu'ils se sont un jour affranchis de cette centralité historique.

Du jour où est née outre-Atlantique cette modernité excentrique en pleine puissance, l'Europe a commencé de disparaître. Les mythes se sont déplacés. Tous les mythes de la modernité sont aujourd'hui américains. Rien ne sert de s'en affliger. A Los Angeles, l'Europe a disparu. Comme dit I. Huppert : « Ils ont tout. Ils n'ont besoin de rien. Ils envient certes, et admirent notre passé et notre culture, mais au fond nous leur apparaissons comme une sorte de Tiers Monde élégant. »

Du décentrement initial, il restera toujours, dans la sphère politique, une fédéralité, une absence de centralité et, au niveau des mœurs et de la culture, une décentralisation, une excentricité qui est celle même du Nouveau Monde par rapport à l'Europe. Les États-Unis n'ont pas de problème insoluble de fédération (bien sûr, il y a eu la Guerre de Sécession, mais nous parlons de l'actuel ensemble fédéral) parce qu'ils sont d'emblée, dès le seuil de leur histoire, une culture de la promiscuité, du mixage, du mélange national et racial, de la rivalité et de l'hétérogénéité. Évident à New York, où successivement chaque building a dominé la ville, où tour à tour chaque ethnie a dominé la ville à sa façon, et où pourtant l'ensemble donne une impression non hétéroclite, mais de convergence dans l'énergie, non d'unité ou de pluralité, mais d'intensité rivale, de puissance antagoniste, créant ainsi une complicité, une attraction collective, au-delà de la culture ou de la politique, dans la violence ou la banalité même du mode de vie.

Dans le même ordre d'idées, il y a une profonde différence de tonalité raciale, ethnique, entre l'Amérique et la France. Là-bas, le mixage violent de multiples nationalités européennes, puis de races exogènes, a produit une situation originale. Cette multiracialité a transformé le pays et lui a donné sa complexité caractéristique. En France, il n'y a eu ni mélange original, ni solution véritable, ni défi de l'un à l'autre groupe. La situation coloniale a simplement été transférée en métropole, hors son contexte originel. Tous les immigrés sont au fond des harkis, sous le protectorat social de leurs oppresseurs, auquel ils n'ont à opposer que leur misère ou leur relégation de fait. L'immigration est sans doute une question brûlante, mais en soi la présence de plusieurs millions d'immigrés n'a pas marqué le mode de vie français ni altéré la configuration de ce pays. C'est pourquoi, quand on revient en France, on a surtout l'impression visqueuse de petit racisme, de situation fausse et honteuse pour tout le monde. Séquelle d'une situation coloniale, où persiste la mauvaise foi du colon et celle du colonisé. Alors qu'en Amérique, chaque ethnie, chaque race développe une langue, une culture compétitive, parfois supérieure à celle des « autochtones », et que chaque groupe prend tour à tour symboliquement le dessus. Il ne s'agit pas d'égalité ou de liberté formelle, mais d'une liberté de fait, qui s'exprime dans la rivalité et le défi, et ceci donne une vivacité singulière, une tonalité ouverte à la confrontation des races.

Nous sommes une culture, l'européenne, qui a parié sur l'universel, et le danger qui la guette est de périr par l'universel... C'est aussi bien l'extension du concept de marché, des échanges monétaires ou des biens de production que l'impérialisme de l'idée de culture. Méfions-nous de cette idée, qui n'est devenue universelle qu'en se formalisant dans l'abstraction, exactement comme celle de révolution, et à ce titre aussi dévoratrice de singularité que la révolution l'est de ses enfants.

Cette prétention à l'universalité a pour conséquence une égale impossibilité à se diversifier vers le bas et à se fédérer vers le haut. Une nation ou une culture une fois centralisée selon un processus historique durable éprouve des difficultés insurmontables aussi bien à créer des sous-ensembles viables qu'à s'intégrer à un super-ensemble cohérent... Il y a une sorte de fatalité dans le processus centralisateur. D'où les difficultés actuelles à trouver un élan, une culture, un dynamisme européen. Incapacité à produire un événement fédéral (l'Europe), un événement local (la décentralisation), un événement racial ou multiracial (la mixité). Trop empêtrés de notre histoire, nous ne savons produire qu'une centralité honteuse (le pluralisme à la Clochemerle) et une promiscuité honteuse (notre racisme mou).

Le principe de l'utopie réalisée explique l'absence, et d'ailleurs l'inutilité de la métaphysique et de l'imaginaire dans la vie américaine. Elle crée chez les Américains une perception de la réalité différente de la nôtre. Le réel n'y est pas lié à l'impossible, et aucun échec ne peut le remettre en cause. Ce qui s'est pensé en Europe se réalise en Amérique — tout ce qui disparaît en Europe réapparaît à San Francisco!

Cependant l'idée d'une utopie réalisée est une idée paradoxale. Si donc la négativité, l'ironie, le sublime gouvernent la pensée euro-

166

péenne, c'est le paradoxe qui domine la pensée américaine, l'humour paradoxal d'une matérialité accomplie, d'une évidence toujours neuve, d'une fraîcheur dans la légalité du fait accompli qui nous étonne toujours, l'humour d'une visibilité naïve des choses, alors que nous évoluons dans l'inquiétante étrangeté du déjà-vu et la transcendance glauque de l'histoire.

Nous reprochons aux Américains de ne savoir analyser ni conceptualiser. Mais c'est leur faire un faux procès. C'est nous qui imaginons que tout culmine dans la transcendance, et que rien n'existe qui n'ait été pensé dans son concept. Non seulement eux ne s'en soucient guère, mais leur perspective est inverse. Non pas conceptualiser la réalité, mais réaliser le concept, et matérialiser les idées. Celles de la religion et de la morale éclairée du XVIIIe siècle bien sûr, mais aussi les rêves, les valeurs scientifiques, les perversions sexuelles. Matérialiser la liberté, mais aussi l'inconscient. Nos phantasmes d'espace et de fiction, mais aussi de sincérité et de vertu, ou les délires de la technicité – tout ce qui a été rêvé en deçà de l'Atlantique a des chances de se réaliser au-delà. Eux fabriquent du réel à partir des idées, nous transformons le réel en idées, ou en idéologie. N'a de sens ici que ce qui se produit, ou se manifeste, n'a de sens pour nous que ce qui se pense, ou se cache. Même le matérialisme n'est en Europe qu'une idée, c'est en Amérique qu'il se concrétise dans l'opération technique des choses, dans l'opération du mode de pensée en mode de vie, dans le « tournage » de la vie, comme on dit au cinéma : *Action!* et la caméra se met à tourner. Car la matérialité des choses, bien sûr, c'est leur cinématographie.

Les Américains croient aux faits, mais pas à la facticité. Ils ne savent pas que le fait est factice, comme son nom l'indique. C'est dans cette croyance au fait, dans la crédibilité totale de ce qui se fait et de ce qui se voit, au mépris de ce qu'on peut appeler l'apparence, ou le jeu

des apparences, c'est dans cette évidence pragmatique des choses : un visage ne trompe pas,
un comportement ne trompe pas, un processus
scientifique ne trompe pas, rien ne trompe, rien
n'est ambivalent (et c'est vrai au fond : rien ne
trompe, il n'y a pas de mensonge, *il n'y a que
de la simulation*, qui est justement la facticité
du fait), c'est en ce sens que les Américains sont
une véritable société utopique, dans leur religion du fait accompli, dans la naïveté de leurs
déductions, dans leur méconnaissance du malin
génie des choses. Il faut être utopique pour
penser que dans un ordre humain, quel qu'il
soit, les choses puissent être aussi naïves.
Toutes les autres sociétés sont marquées par
une quelconque hérésie, par une quelconque
dissidence, par une quelconque méfiance vis-
à-vis de la réalité, par la superstition d'une
volonté maligne et l'abduction de cette volonté
à force de magie, par la croyance en la
puissance des apparences. Ici, pas de dissidence,
pas de suspicion, le roi est nu, les faits sont là.
Les Américains, c'est bien connu, sont fascinés

par les Jaunes, chez qui ils pressentent une forme supérieure de ruse, de cette absence de vérité dont ils ont peur.

C'est vrai, l'ironie de la communauté fait défaut ici, de même que l'enjouement de la vie sociale. Le charme interne aux manières, au théâtre des relations sociales, tout est reporté vers l'extérieur, dans la publicité faite à la vie et au mode de vie. C'est une société qui fait inlassablement sa propre apologie, ou qui se justifie perpétuellement d'exister. Tout doit être rendu public, ce qu'on vaut, ce qu'on gagne, comment on vit – il n'y a pas place pour un jeu plus subtil. Le *look* de cette société est autopublicitaire. Témoin le drapeau américain, partout présent, sur les plantations, les agglomérations, les stations-service, les tombes des cimetières, non pas comme signe héroïque, mais comme sigle d'une bonne marque de fabrique. C'est simplement le label de la plus belle entreprise internationale qui ait réussi : les

170

USA. C'est ainsi que les hyperréalistes ont pu le peindre naïvement, sans ironie ni contestation (Jim Dine dans les années 60), tout comme le pop art transposait avec une sorte de joie sur ses toiles l'étonnante banalité des biens de consommation. Rien là-dedans de la parodie féroce de l'hymne américain par Jimmy Hendricks. Tout ce qu'on peut y déceler, c'est l'ironie légère, l'humour neutre des choses banalisées, celui du *mobil-home* et du hamburger géant sur le *billboard* de cinq mètres de long, l'humour pop et hyper si caractéristique de l'ambiance américaine, où les choses sont comme douées d'une certaine indulgence envers leur propre banalité. Mais elles sont indulgentes envers leur propre délire aussi. Plus généralement, elles ne prétendent pas à l'extraordinaire, elles le sont. Elles ont cette extravagance qui fait l'Amérique insolite de tous les jours, non pas surréaliste (le surréalisme est encore une extravagance esthétique, très européenne d'inspiration), non, ici l'extravagance est passée dans les choses. La folie, chez nous subjective, est

171

devenue ici objective. L'ironie, chez nous subjective, s'est faite ici objective. La fantasmagorie, l'excès qui sont chez nous ceux de l'esprit et
des facultés mentales, ici sont passés dans les
choses.

Quel que soit l'ennui, l'enfer de la quotidienneté aux US comme ailleurs, la banalité
américaine sera toujours mille fois plus intéressante que l'européenne, et surtout la française.
Peut-être parce que la banalité est née ici de
l'extrême étendue, de la monotonie extensive,
et de l'inculture radicale. Elle y est autochtone,
comme l'extrême inverse, celui de la vitesse, de
la verticalité, de la démesure qui touche à la
désinvolture, et d'une indifférence aux valeurs
qui touche à l'immoralité. Alors que la banalité
française est une déjection de la quotidienneté
bourgeoise, née de la fin d'une culture aristocratique, muée en maniérisme petit-bourgeois,
de cette bourgeoisie qui s'est rétrécie comme
une peau de chagrin tout au long du XIXᵉ siècle.
Tout est là : c'est le cadavre de la bourgeoisie
qui nous sépare, c'est elle qui charrie pour nous

le chromosome de la banalité, alors que les Américains ont su conserver un humour aux signes matériels de l'évidence et de la richesse.

C'est aussi pourquoi les Européens vivent tout ce qui relève de la statistique comme un destin malheureux, ils y lisent tout de suite leur échec individuel et se réfugient dans un défi crispé au quantitatif. Les Américains au contraire vivent la statistique comme stimulation optimiste, comme dimension de leur chance, de l'accession heureuse à la majorité. C'est le seul pays où la quantité peut s'exalter sans remords.

L'indulgence et l'humour dont témoignent les choses dans leur banalité, les Américains l'ont pour eux-mêmes et pour les autres. Ils ont un comportement intellectuel suave, tout en douceur. Ils ne prétendent pas à ce que nous appelons l'intelligence, et ne se sentent pas menacés par celle des autres. C'est seulement pour eux une forme d'esprit singulière, à laquelle il ne faut pas s'exposer outre mesure.

Ils ne songent donc pas spontanément à nier ou à démentir, leur mouvement naturel est d'approuver. Quand nous disons : je suis d'accord avec vous, c'est pour tout contester par la suite. Quand l'Américain dit qu'il est d'accord, c'est qu'en toute franchise il ne voit rien au-delà. Mais bien souvent il confirmera votre analyse par des faits, des statistiques ou des expériences vécues qui lui enlèveront de facto toute valeur conceptuelle.

Cette auto-indulgence non dénuée d'humour témoigne d'une société sûre de sa richesse et de sa puissance, et qui aurait en quelque sorte intériorisé la formule de Hannah Arendt selon laquelle la révolution américaine, au contraire de toutes celles d'Europe, est une révolution réussie. Mais même une révolution réussie a ses victimes et ses emblèmes sacrificiels. C'est sur le meurtre de Kennedy que se fonde en définitive le règne actuel de Reagan. Ce meurtre n'a jamais été vengé, ni élucidé, et pour cause. Ne parlons pas du meurtre des Indiens, c'est encore lui dont l'énergie rayonne sur l'Amérique

actuelle. Ceci dit pour illustrer non plus seulement l'indulgence, mais la violence autopublicitaire, autojustificatrice, de cette société, cette
violence triomphaliste qui fait partie des révolutions réussies.

Tocqueville décrit avec chaleur les bienfaits
de la démocratie et de la constitution américaine, louant la libre inspiration du mode de vie,
l'équanimité des mœurs (plus que l'égalité des
statuts), la suprématie d'une organisation
morale (plutôt que politique) de la société. Puis
il décrit avec une lucidité égale l'extermination
des Indiens et la condition des Noirs, sans
jamais confronter les deux réalités. Comme si le
bien et le mal s'étaient développés séparément.
Se peut-il qu'on puisse, tout en ressentant
vivement l'un et l'autre, faire abstraction de
leur rapport? Certes, et le paradoxe est
aujourd'hui le même : *nous ne résoudrons
jamais l'énigme du rapport entre les fondements
négatifs de la grandeur et cette grandeur elle-*

même. L'Amérique est puissante et originale, l'Amérique est violente et abominable – il ne faut chercher ni à effacer l'un ou l'autre, ni à réconcilier les deux.

Mais qu'en est-il de cette grandeur paradoxale, de cette situation originale du Nouveau Monde telle que la décrivait Tocqueville? Qu'en est-il de cette < révolution > américaine qui consistait dans la résolution dynamique d'un intérêt individuel bien compris et d'une moralité collective bien tempérée? Problème non résolu en Europe, et qui pour cette raison alimentera pendant tout le XIXᵉ siècle une problématique de l'histoire, de l'État et de la disparition de l'État que l'Amérique ne connaît pas. Qu'en est-il du défi qui se dessinait chez Tocqueville : une nation peut-elle conclure un pacte de grandeur sur la seule base de l'intérêt banal de tout un chacun? Peut-il exister un pacte d'égalité et de banalité (dans l'intérêt, le droit et la richesse) qui garde une dimension héroïque et originale? (car qu'est-ce qu'une société sans une dimension héroïque?) Bref : le

Nouveau Monde a-t-il tenu ses promesses? Est-il allé au bout des bienfaits de la liberté, ou n'est-il allé qu'au bout des méfaits de l'égalité?

On rapporte le plus souvent à la liberté et à son usage l'éclat de la puissance américaine. Mais la liberté en soi n'est pas génératrice de puissance. La liberté conçue comme action publique, comme discours collectif d'une société sur ses propres entreprises et ses propres valeurs, cette liberté-là s'est plutôt perdue dans la libération individuelle des mœurs et dans l'agitation (l'agitation, comme on sait, est une des principales activités des Américains). C'est donc plutôt l'égalité et ses conséquences qui ont joué comme génératrices de puissance. C'est cette égalité dont Tocqueville disait dans une merveilleuse formule : « Ce que je reproche à l'égalité, ce n'est pas d'entraîner les hommes à la poursuite de jouissances défendues, c'est de les absorber entièrement dans la recherche des jouissances permises », c'est elle, l'égalisation moderne des statuts et des valeurs, c'est elle, l'indifférence des traits et des caractères, qui défraie et qui déchaîne la puissance. C'est autour d'elle que se redessine le paradoxe de Tocqueville, à savoir que l'univers américain tend à la fois vers l'insignifiance absolue (toutes choses tendant à s'y égaliser et à s'y annuler en puissance) et vers l'originalité absolue — aujourd'hui plus encore qu'il y a cent cinquante ans, les effets ayant été multipliés par l'extension géographique. *Un univers génial par le développement irrépressible de l'égalité, de la banalité et de l'indifférence.*

C'est ce dynamisme d'ensemble, cette dynamique de l'abolition des différences qui est passionnante et qui pose, comme le disait Tocqueville, un problème nouveau à l'intelligence des sociétés humaines. Il est d'ailleurs extraordinaire de voir combien les Américains ont peu changé depuis deux siècles, bien moins que les sociétés européennes prises dans les révolutions politiques du XIXe siècle, alors qu'eux ont gardé intacte, préservée par la distance océanique qui est l'équivalent d'une insularité dans le temps, la perspective utopique et morale des hommes du XVIIIe, ou même des sectes puritaines du XVIIe siècle, transplantée et perpétuée à l'abri des péripéties de l'histoire. Cette hystérésie puritaine et morale est celle de l'exil, c'est celle de l'utopie. Nous leur en faisons procès : pourquoi la révolution n'a-t-elle pas eu lieu ici, pays neuf, pays de liberté, bastion avancé du capitalisme? Pourquoi le « social », le « politique », nos catégories de prédilection, ont-elles si peu de prise ici? C'est que le XIXe siècle social et philosophique n'a pas franchi l'Atlantique et que les choses vivent toujours ici de l'utopie et de la morale, de l'idée concrète du bonheur et des mœurs, toutes choses qu'en Europe l'idéologie politique a liquidées, Marx en tête, vers une conception « objective » de la transformation historique. C'est de ce point de vue que nous taxons les Américains de naïveté historique et d'hypocrisie morale. Mais c'est simplement que, dans leur conscience collective, ils s'inscrivent plus près des modèles de pensée du XVIIIe siècle : utopique et pragmatique, que de ceux qu'imposera

179

la Révolution française : idéologique et révolutionnaire.

Pourquoi les sectes sont-elles ici si puissantes et si dynamiques? Le brassage des races, des institutions et des techniques aurait dû les balayer depuis longtemps. Mais c'est qu'ici elles ont gardé la forme vivante, l'illuminisme pratique de leurs origines, et leur obsession morale. De quelque façon, c'est leur micromodèle qui s'est élargi à l'Amérique entière. Dès l'origine, les sectes ont joué le plus grand rôle dans le passage à l'utopie réalisée, qui est l'équivalent d'un passage à l'acte. Ce sont elles qui vivent de l'utopie (l'Église la tient pour hérésie virtuelle) et qui s'emploient à précipiter le Royaume de Dieu sur la terre, alors que l'Église s'en tient à l'espérance du salut et aux vertus théologales.

Ce destin de la secte, c'est comme si l'Amérique l'avait épousé dans son ensemble : la concrétisation immédiate de toutes les perspectives de salut. La multiplication des sectes particulières ne doit pas nous leurrer : le fait important est que l'Amérique entière est concernée par l'institution morale de la secte, son exigence immédiate de béatification, son efficacité matérielle, sa compulsion de justification, et sans doute aussi par sa folie et son délire.

Si l'Amérique perd cette perspective morale sur elle-même, elle s'effondre. Ceci n'est peut-être pas évident pour des Européens, pour qui l'Amérique est une puissance cynique et sa morale une idéologie hypocrite. Nous ne voulons pas croire à la vision morale qu'ont les Américains d'eux-mêmes, mais nous avons tort. Lorsqu'ils se demandent sérieusement pourquoi d'autres peuples les détestent, nous aurions tort de sourire, car c'est cette même interrogation qui permet les Watergate et la dénonciation impitoyable de la corruption et des tares de leur propre société au cinéma et dans les media – une liberté que nous pouvons leur envier, nous sociétés véritablement hypocrites, où le secret et la respectabilité, l'affectation bourgeoise, couvrent toujours les affaires individuelles et publiques.

L'idée principale de Tocqueville est que l'esprit de l'Amérique est dans son mode de vie, dans la révolution des mœurs, dans la révolution morale. Celle-ci n'instaure pas une nouvelle légalité ni un nouvel État, mais une légitimité pratique : celle du mode de vie. Le salut ne relève plus du divin ou de l'État, mais de l'organisation pratique idéale. Faut-il remonter pour cela jusqu'au décret protestant de sécularisation de la conscience, d'introjection de la juridiction divine dans la discipline quotidienne? Le fait est que la religion, par exemple, est entrée dans les mœurs, ce qui fait qu'elle ne peut plus être mise en cause ou interrogée sur ses fondements, puisqu'elle n'a plus de valeur transcendante. C'est la religion comme mode de vie. De même la politique est entrée dans les mœurs, comme machine pragmatique, comme jeu, comme interaction, comme spectacle, ce qui fait qu'elle ne peut plus être jugée d'un point de vue proprement politique. Il n'y a plus de principe idéologique ou philosophique de gouvernement, c'est à la fois plus naïf et plus conjoncturel. Cela ne signifie pas qu'il n'y ait pas de stratégies, mais ce sont des stratégies modales, et non finales. La sexualité elle-même est entrée dans les mœurs, ce qui veut dire qu'elle non plus n'a plus de valeur transcendante, ni comme interdit, ni comme principe d'analyse, de jouissance ou de transgression. Elle s'est « écologisée », psychologisée, sécularisée à usage domestique. Elle est entrée dans le mode de vie.

La prééminence des mœurs, l'hégémonie du mode de vie signifie que l'universel abstrait de la loi le cède à la régulation concrète des échanges. La loi n'est pas consensuelle : vous êtes censé la connaître et lui obéir. Mais la désobéissance vous honore elle aussi, et l'histoire est faite simultanément de l'exaltation de la loi et de ceux qui ont désobéi à la loi. Ce qui frappe par contre dans le système américain, c'est qu'il n'y a pas d'honneur à désobéir, ni de prestige dans la transgression ou l'exception.

C'est le fameux conformisme américain où nous voyons un signe de faiblesse sociale et politique. Mais c'est qu'ici l'accord se fait plutôt sur une régulation concrète que sur une législation abstraite, sur des modalités informelles que sur une instance formelle. Que signifierait de se désolidariser d'une règle, de s'inscrire en faux contre un dispositif? Il faut comprendre cette solidarité conventionnelle, pragmatique, des mœurs américaines, qui repose sur une sorte de pacte moral, et non de contrat social, et qu'on pourrait comparer non pas tellement au code de la route, auquel chacun peut désobéir, qu'au consensus qui règle la circulation automobile sur les autoroutes. Cette conformité rapproche la société américaine des sociétés primitives, où il serait absurde de se distinguer moralement en désobéissant au rituel collectif. Ce conformisme n'est donc pas « naïf » : il résulte d'un pacte au niveau des mœurs, d'un ensemble de règles et de modalités qui suppose, comme principe de fonctionnement, une adhésion quasi spontanée.

Alors que nous vivons d'une désobéissance tout aussi rituelle à notre propre système de valeurs.

Ce « conformisme » est le reflet d'une certaine liberté : celle de l'absence de préjugés et de prétention. On pourrait avancer que l'absence de préjugés chez les Américains est liée à l'absence de jugement. Cela serait injuste, mais à tout prendre, pourquoi ne pas préférer cette solution légère à notre solution lourde et prétentieuse? Voyez cette fille qui vous sert dans le *guestroom* : elle le fait *en toute liberté,* avec le sourire, sans préjugés ni prétention, comme si elle était assise en face de vous. Les choses ne sont pas égales, mais elle ne prétend pas à l'égalité, celle-ci est acquise dans les mœurs. Tout le contraire du garçon de café sartrien, complètement aliéné à sa représentation, et qui ne résout cette situation qu'en passant à un métalangage théâtral, en affectant par ses gestes une liberté ou une égalité qu'il n'a pas. D'où l'intellectualité malheureuse de son comportement, qui est celle, chez nous, de presque toutes les classes sociales. Cette question de l'égalité dans les mœurs, de la liberté des mœurs, n'a été ni résolue, ni même jamais vraiment posée dans notre culture, seule la question politique ou philosophique de l'égalité a été posée, et celle-là nous renvoie à une éternelle prétention. En Amérique — ceci est banal — on est étonné par l'oubli presque naturel des statuts, l'aisance et la liberté des relations. Cette aisance peut nous paraître banale ou vulgaire, elle n'est jamais ridicule. C'est *notre* affectation qui est ridicule.

Il n'est que de voir une famille française s'installer sur une plage californienne pour sentir le poids abominable de notre culture. Le groupe américain reste ouvert, la cellule française se crée immédiatement un espace fermé, l'enfant américain prend le large, le français tourne autour de ses parents. Les Américains veillent à avoir toujours de la glace et de la bière, les Français veillent aux préséances et au bien-être théâtral. On circule beaucoup sur les plages américaines, le Français campe sur son fief de sable. Le Français s'affiche en vacances, mais il garde la médiocrité de son espace petit-bourgeois. Or, on peut tout dire des Américains, sauf qu'ils sont médiocres ou petits-bourgeois. Ils n'ont certes pas de grâce aristocratique, mais ils ont l'aisance de l'espace, de ceux qui ont toujours eu de l'espace, et ceci leur tient lieu de manières et de quartiers de noblesse. L'aisance corporelle que donne la disposition de l'espace compense aisément la faiblesse des traits et des caractères. Vulgaire, mais *easy*. Nous sommes une culture de la promiscuité, qui donne des manières et de l'affectation, eux ont une culture démocratique de l'espace. Nous sommes libres en esprit, mais eux sont libres de leurs gestes. L'Américain qui circule dans les déserts ou les parcs nationaux ne donne pas l'impression d'être en vacances. Circuler est son emploi naturel, la nature est une frontière et un lieu d'action. Rien du romantisme avachi et de la quiétude gallo-romaine qui peuplent notre temps libre. Rien du label vacances tel qu'il a été inventé chez nous par le Front Populaire : cette atmosphère démoralisante du temps libre arraché à l'État, consommé avec le sentiment plébéien et le souci théâtral du loisir bien gagné. La liberté ici n'a pas de définition statique ou négative, elle a une définition spatiale et mobile.

La grande leçon de tout ceci, c'est que la liberté et l'égalité, comme l'aisance et la grâce, n'existent que données d'avance. Ça, c'est le coup de théâtre démocratique : l'égalité est au départ, et non pas à la fin. C'est ce qui fait la différence entre la démocratie et l'égalitarisme : la démocratie suppose l'égalité au départ, l'égalitarisme la suppose à la fin. *Democracy demands that all of its citizen* begin *the race even. Egalitarianism insists that they all* finish *even.*

Cependant, quand nul n'est plus obsédé par le jugement ni par les préjugés, il s'ensuit une plus grande tolérance, mais aussi une plus grande indifférence. Ne cherchant plus le regard de l'autre, ils finissent aussi par ne plus se voir. Ainsi dans la rue, les gens se croisent sans se regarder, ce qui peut sembler une marque de discrétion et de civilité, mais qui est aussi une marque d'indifférence. Du moins celle-ci n'est-elle pas affectée. C'est à la fois une qualité et une absence de qualité.

Quand je parle du « mode de vie » américain, c'est pour en souligner l'utopie, la banalité *mythique,* le rêve et la grandeur. Cette philosophie immanente non seulement au développement technique mais à l'outrepassement des techniques dans le jeu excessif de la technique, non seulement à la modernité mais à la démesure des formes modernes (que ce soit le réseau vertical de New York ou le réseau horizontal de Los Angeles), non seulement à la banalité mais aux formes apocalyptiques de la banalité, non seulement à la réalité de la vie quotidienne, mais à l'hyperréalité de cette vie qui, telle qu'elle est, présente toutes les caractéristiques de la fiction. C'est ce caractère fictionnel qui est passionnant. Or, la fiction n'est pas l'imaginaire. C'est ce qui anticipe sur l'imaginaire en le réalisant. Au contraire de notre mouvement à nous, qui est d'anticiper sur la réalité en l'imaginant, ou de la fuir en l'idéalisant. C'est pourquoi nous ne serons jamais dans de la vraie fiction, nous sommes voués à l'imaginaire et à la nostalgie du futur. Le mode de vie américain, lui, est spontanément fictionnel, puisqu'il est outrepassement de l'imaginaire dans la réalité.

La fiction n'est pas non plus l'abstraction, et s'il y a une sorte d'infirmité de l'Amérique vis-à-vis de l'abstraction, cette incapacité revêt une forme glorieuse dans la réalité sauvage de l'Amérique moyenne, dans l'apothéose de la vie quotidienne, dans ce génie empirique qui nous étonne tellement. Peut-être cette révolution réussie ne l'est-elle plus tout à fait au sens où Tocqueville l'entendait, d'un mouvement spontané de l'esprit public, d'une forme spontanée et concrète d'agencement des mœurs aux valeurs modernes. Plus que dans le mouvement des institutions, c'est dans la libération des techniques et des images qu'il faut chercher la forme glorieuse de la réalité américaine, dans la dynamique immorale des images, dans l'orgie de biens et de services, orgie de puissance et d'énergie inutile (mais qui dira où s'arrête l'énergie utile?), où éclate beaucoup plus l'esprit publicitaire que l'esprit public. Mais enfin, ce sont là des traits de libération, et l'obscénité même de cette société est le signe de sa libération. Libération de *tous les effets,* dont certains parfaitement excessifs et abjects, mais justement : le comble de la libération, sa conséquence logique, est dans l'orgie spectaculaire, dans la vitesse, dans l'instantanéité du changement, dans l'excentricité généralisée. La politique *se libère* dans le spectacle, dans l'effet publicitaire à tout prix, la sexualité se libère dans toutes ses anomalies et ses perversions (y compris dans son refus, dernier trait à la mode, et qui n'est encore qu'un effet de surfusion de la libération sexuelle), les mœurs, les coutumes, le corps et le langage se libèrent dans l'accélération de la mode. Libéré n'est pas l'homme dans sa réalité idéale, dans sa vérité intérieure ou dans sa transparence — libéré est l'homme qui change d'espace, qui circule, qui change de sexe, de vêtements, de mœurs selon la mode, *et non selon la morale,* qui change d'opinion selon les modèles d'opinion, et non selon sa conscience. C'est ça la libération pratique, qu'on le veuille ou non, qu'on en déplore ou non le gaspillage et l'obscénité. D'ailleurs, les gens des pays « totalitaires » savent bien que c'est là la liberté vraie, ils ne rêvent que de cela : la mode, les modèles, les idoles, le jeu des images, pouvoir circuler pour circuler, la publicité, le déchaînement publicitaire. L'orgie, quoi. Or il faut bien dire que c'est l'Amérique qui a réalisé concrètement, techniquement cette orgie de libération, cette orgie de l'indifférence, de la déconnection, de l'exhibition et de la circulation. Je ne sais pas ce qu'il reste de la révolution réussie dont parlait Tocqueville, celle de la liberté politique et de la qualité de l'esprit public (l'Amérique offre aujourd'hui dans ce domaine le meilleur et le pire), mais elle a certainement réussi *cette révolution-là,* alors que nous, après avoir raté nos révolutions historiques, nos révolutions abstraites, nous sommes en train de rater celle-ci aussi. Ces conséquences logiques de la modernité, de la révolution du mode de vie, jusque dans ses excès, nous les absorbons malgré nous, à doses homéopathiques, dans un mélange de fascination et de ressentiment. Nous nous traînons en Europe dans le culte de la différence, nous sommes donc handicapés par rapport à la modernité radicale, qui repose sur l'indifférence. Nous devenons modernes et indifférents à contrecœur, d'où le peu d'éclat de notre modernité, d'où l'absence de génie moderne dans nos entreprises. Nous n'avons même pas le *malin génie* de la modernité, celui qui pousse l'innovation jusqu'à l'extravagance, et retrouve par là une sorte de liberté fantastique.

Tout ce qui s'est héroïquement joué et détruit en Europe sous le signe de la Révolution et de la Terreur est allé se réaliser outre-Atlantique de la façon la plus simple et la plus empirique (l'utopie de la richesse, du droit, de la liberté, du contrat social et de la représentation). De même, tout ce dont nous avons rêvé sous le signe radical de l'anticulture, de la subversion du sens, de la destruction de la raison et de la fin de la représentation, toute cette anti-utopie qui a déchaîné en Europe tant de convulsions théoriques et politiques, esthétiques et sociales, sans jamais se réaliser vraiment (Mai 68 en est un dernier exemple), tout cela est réalisé ici, en Amérique, de la façon la plus simple et la plus radicale. *On y a réalisé l'utopie, on y réalise l'anti-utopie :* celle de la déraison, de la déterritorialisation, de l'indétermination du sujet et du langage, de la neutralisation de toutes les valeurs, de la mort de la culture. L'Amérique réalise tout, et elle procède pour cela de façon empirique et sauvage. Nous ne faisons que rêver et passer à l'acte de temps en temps — l'Amérique, elle, tire les conséquences logiques, pragmatiques, de tout ce qu'il est possible de concevoir. En ce sens, elle est naïve et primitive, elle ne connaît pas l'ironie du concept, elle ne connaît pas l'ironie de la séduction, elle n'ironise pas sur le futur ou le destin, elle opère, elle matérialise. A la radicalité utopique, elle oppose la radicalité empirique, qu'elle est seule à concrétiser dramatiquement. Nous philosophons sur la fin d'un tas de choses, mais c'est ici qu'elles prennent fin. C'est ici qu'il n'y a plus de territoire (mais justement un espace prodigieux), ici que le réel et l'imaginaire ont pris fin (ouvrant tous les espaces à la simulation). C'est donc ici qu'il faut chercher l'idéaltype de la fin de notre culture. C'est le mode de vie américain, que nous jugeons naïf ou culturellement nul, c'est lui qui nous donnera le tableau analytique complet de la fin de nos valeurs − chez nous vainement prophétisée − avec l'envergure que lui donne la dimension géographique et mentale de l'utopie.

Mais alors, c'est ça une utopie réalisée, c'est ça une révolution réussie? Eh oui, c'est ça! Que voulez-vous que soit une révolution < réussie >? C'est le paradis. Santa Barbara est un paradis, Disneyland est un paradis, les États-Unis sont un paradis. Le paradis est ce qu'il est, éventuellement funèbre, monotone et superficiel. Mais c'est le paradis. Il n'y en a pas d'autre. Si vous acceptez de tirer les conséquences de vos rêves, pas seulement politiques et sentimentaux, mais aussi théoriques et culturels, alors vous devez considérer l'Amérique, encore aujourd'hui, avec le même enthousiasme naïf que les générations qui ont découvert le Nouveau Monde. Celui même des Américains pour leur propre réussite, leur propre barbarie et leur propre puissance. Sinon, vous n'y comprenez rien, et vous ne comprendrez rien non plus à votre propre histoire, ou à la fin de votre histoire. Car l'Europe ne peut plus se comprendre à partir d'elle-même. Les États-Unis sont plus mystérieux : le *mystère de la réalité américaine* dépasse nos fictions et nos interprétations. Mystère d'une société qui ne cherche pas à se donner un sens ou une identité, qui ne se paye ni de transcendance ni d'esthétique et qui, *précisément à cause de cela,* invente la seule grande verticalité moderne dans ses buildings, qui sont ce qu'il y a de plus grandiose dans l'ordre vertical, et n'obéissent pourtant pas aux règles de la transcendance, qui sont l'architecture la plus prodigieuse et n'obéissent pourtant pas aux lois de l'esthétique, ultra-modernes, ultra-fonctionnels, mais avec quelque chose de non spéculatif, de primitif et de sauvage — une culture, ou une inculture comme celle-ci est pour nous un mystère.

L'introversion, la réflexion, les effets de sens à l'ombre du concept, cela nous est familier. Mais l'objet libéré de son concept, libre de se déployer dans l'extraversion et l'équivalence de tous ses effets, ça, c'est énigmatique. L'extraversion est pour nous un mystère — très exactement comme l'était pour Marx la marchandise : hiéroglyphe du monde moderne, mystérieuse parce qu'extravertie justement, forme se réalisant dans son opération pure et dans la circulation pure (hello Karl!).

Dans ce sens, l'Amérique entière est pour nous un désert. La culture y est sauvage : elle y fait le sacrifice de l'intellect et de toute esthétique, par transcription littérale dans le réel. Sans doute a-t-elle gagné cette sauvagerie du fait du décentrement originel vers des terres vierges, mais sans doute aussi sans le vouloir des Indiens qu'elle a détruits. L'Indien mort reste le garant mystérieux des mécanismes primitifs, jusque dans la modernité des images et des techniques. Ces Indiens que les Américains ont cru détruire, peut-être n'ont-il fait qu'en disséminer la virulence? Ils ont frayé, marqué, traversé les déserts d'autoroutes, mais par une interaction mystérieuse, leurs villes ont pris la structure et la couleur du désert. Ils n'ont pas détruit l'espace, ils l'ont simplement rendu infini par la destruction de son centre (ainsi des villes extensibles à l'infini). Par là, ils ont ouvert un véritable espace de la fiction. Dans la « pensée sauvage » non plus il n'y a pas d'univers naturel, pas de transcendance de l'homme ni de la nature, ni de l'histoire – la culture est tout ou rien, comme on voudra. Cette indistinction se retrouve au comble de la simulation moderne. Là non plus, il n'y a pas d'univers naturel, et vous ne pouvez faire la différence entre un désert et une métropole. Ni les Indiens n'étaient infiniment près de la nature, ni les Américains n'en sont infiniment éloignés : tous deux sont de part et d'autre de cette idéalité de la nature, comme de celle de la culture, et également étrangers à l'une et à l'autre.

Il n'y a pas de culture ici, pas de discours culturel. Pas de ministère, pas de commissions, pas de subventions, pas de promotion. Le trémolo culturel qui est celui de la France entière, ce fétichisme du patrimoine – rien ici de cette invocation sentimentale, et qui plus est aujourd'hui : étatique et protectionniste. Beaubourg est impossible ici, de même qu'en Italie (pour d'autres raisons). Non seulement la centralisation, mais l'idée d'une culture cultivée n'existe pas, pas plus que celle d'une religion théologale et sacrée. Pas de culture de la culture, pas de religion de la religion. Il faudrait parler plutôt de culture « anthropologique », qui consiste dans l'invention des mœurs et du mode de vie. Celle-là seule est intéressante, comme seules les rues de New York le sont, et non les musées. Même dans la danse, le cinéma, le roman, la fiction, l'architecture, ce qui est spécifiquement américain a quelque chose de sauvage, qui n'a pas connu le lustré et le phrasé, le rhétorique et le théâtral de nos cultures bourgeoises, qui n'a pas été pomponné aux couleurs de la distinction culturelle.

La culture n'est pas ici cette délicieuse panacée que l'on consomme chez nous dans un espace mental sacramentel, et qui a droit à sa rubrique spéciale dans les journaux et les esprits. La culture, c'est l'espace, c'est la vitesse, c'est le cinéma, c'est la technologie. Celle-ci est authentique, si on peut dire cela de quoi que ce soit. Non pas le cinéma en plus, la vitesse en plus, la technique en plus (on sent partout chez nous cette modernité surajoutée, hétérogène, anachronique). En Amérique, le cinéma est vrai, parce que c'est tout l'espace, tout le mode de vie qui sont cinématographiques. Cette coupure, cette abstraction que nous déplorons n'existe pas : la vie est cinéma.

C'est pourquoi la recherche des œuvres d'art ou des spectacles cultivés m'a toujours semblé fastidieuse et déplacée. Une marque d'ethno-centrisme culturel. Si c'est l'inculture qui est originale, alors c'est l'inculture qu'il faut saisir. Si le terme de goût a un sens, alors il nous commande de ne pas exporter nos exigences esthétiques là où elles n'ont rien à faire. Lorsque les Américains transfèrent nos cloîtres romans aux Cloysters de New York, nous ne leur pardonnons pas ce contresens. N'en faisons pas autant en y transférant nos valeurs cultu-relles. Nous n'avons pas droit à la confusion. Eux d'une certaine façon y ont droit, parce qu'ils ont l'espace, et que leur espace est la réfraction de tous les autres. Quand Paul Getty rassemble à Malibu, dans une villa pompéienne aux bords du Pacifique, Rembrandt, les Impressionnistes et la statuaire grecque, il est dans la logique américaine, dans la pure logique baroque de Disneyland, il est original, c'est un coup magnifique de cynisme, de naïveté, de kitsch et d'humour involontaire — quelque chose d'étonnant par le non-sens. Or, la disparition de l'esthétique et des valeurs nobles dans le kitsch et l'hyperréalité est fascinante, tout comme la disparition de l'histoire et du réel dans le télévisuel. C'est cette pragmatique sauvage des valeurs dont il faut tirer quelque plaisir. Si vous ne gardez en tête que votre musée imaginaire, vous passez à côté de l'essentiel (qui est justement l'inessentiel).

La publicité qui interrompt les films à la TV est certes un outrage aux bonnes mœurs, mais elle souligne judicieusement que la plupart des productions télévisuelles n'atteignent même jamais le niveau « esthétique », et qu'elles sont du même ordre au fond que la publicité. La plupart des films, et non des moindres, sont faits de la même romance quotidienne : voitures, téléphone, psychologie, maquillage – pure et simple illustration du mode de vie. La publicité ne fait rien d'autre : elle canonise le mode de vie par l'image, elle en fait un véritable circuit intégré. Et si tout ce qui passe à la télévision, sans distinction, constitue un régime à basses calories, voire sans calories du tout, alors à quoi bon se plaindre de la publicité? Par sa nullité, elle rehausse plutôt le niveau culturel de ce qui l'entoure.

La banalité, l'inculture, la vulgarité n'ont pas le même sens ici qu'en Europe. Ou bien n'est-ce qu'une illumination d'Européen, fascination d'une Amérique irréelle? Peut-être sont-ils tout simplement vulgaires, et je ne fais que rêver de cette métavulgarité? *Who knows?* J'ai bien envie de renouveler le pari célèbre : si j'ai tort, vous n'y perdez rien, si j'ai raison, vous gagnez tout. Le fait est qu'une certaine banalité, une certaine vulgarité qui nous paraissent inacceptables en Europe, ici nous semblent mieux qu'acceptables : fascinantes. Le fait est que toutes nos analyses en termes d'aliénation, de conformisme, d'uniformité et de déshumanisation, tombent d'elles-mêmes : au regard de l'Amérique, ce sont elles qui deviennent vulgaires.

Pourquoi un texte comme celui-ci (de G. Faye) est-il à la fois vrai et absolument faux? « La Californie s'impose comme mythe total de notre temps... Multiracialité, technologie hégémonique, narcissisme "psy", criminalité urbaine et bains audiovisuels : super-Amérique, la Californie s'impose comme l'antithèse absolue de l'authentique Europe... de Hollywood au rock-sirop, de *E.T.* à *la Guerre des Étoiles,* des prurits pseudo-contestataires des campus aux délires de Carl Sagan, des néo-gnostiques de Silicon Valley aux mystiques du *wind-surf,* des gourous néo-indiens à l'aérobic, du jogging à la psychanalyse comme forme de démocratie, de la criminalité comme forme de psychanalyse à la télévision comme pratique du despotisme, la Californie s'est campée comme lieu mondial du simulacre et de l'inauthentique, comme synthèse absolue du stalinisme *cool*. Terre *hystérique*, point focal de rassemblement des déracinés, la Californie est le lieu de la non-histoire, du non-événement, mais en même temps du grouillement et du rythme ininterrompu de la mode, c'est-à-dire de la vibration dans l'immobilisme, cette vibration qui la hante, puisqu'à tout instant le tremblement de terre la menace.

« La Californie n'a rien inventé : elle a tout pris à l'Europe, et le lui a resservi défiguré, privé de sens, repeint aux dorures de Disney-land. Centre mondial de la folie douce, miroir de nos déjections et de notre décadence, la californite, cette variante chaude de l'américanisme, déferle aujourd'hui sur la jeunesse et s'impose comme forme mentale du SIDA... Contre l'angoisse révolutionnaire des Européens, la Californie impose son long cortège de faux-semblants : parodie du savoir sur les campus sans rites, parodie de la ville et de l'urbanité dans l'amas de Los Angeles, parodie de la technique à Silicon Valley, parodie de l'œnologie avec les vins tiédasses de Sacramento, parodie de la religion avec les gourous et les sectes, parodie de l'érotisme avec les *beach-boys*, parodie de la drogue avec les acides (?), parodie de la sociabilité avec les *communities*... Il n'est pas jusqu'à la nature californienne qui ne soit une parodie hollywoodienne des antiques paysages méditerranéens : mer trop bleue (!?), montagnes trop sauvages, climat trop doux ou trop aride, nature inhabitée, désenchantée, fuie par les dieux : terre sinistre sous un soleil trop blanc et visage immobile de notre mort, puisqu'il est vrai que l'Europe mourra bronzée, souriante et la peau tiède sous le soleil des vacances. »

Tout là-dedans est vrai (si on veut), puisque le texte lui-même est à l'image du stéréotype hystérique dont il gratifie la Californie. Ce discours doit cacher d'ailleurs une fascination certaine pour son objet. Mais si on peut dire exactement l'inverse de ce qu'il dit dans les

206

mêmes termes, c'est justement que G. Faye n'a pas su opérer lui-même ce retournement. Il n'a pas saisi comment à l'extrême de cette insignifiance, de cette « folie douce » de l'insignifiance, de cet enfer mou et climatisé qu'il décrit, les choses se renversent. Il n'a pas saisi le défi de cette « transcendance marginale » où justement tout un univers se trouve affronté à sa marge, à sa simulation « hystérique » – et pourquoi pas? Pourquoi pas une parodie de la ville avec Los Angeles? Une parodie de la technique à Silicon Valley? Une parodie de la sociabilité, de l'érotisme et de la drogue, voire une parodie de la mer (trop bleue!) et du soleil (trop blanc!). Sans parler des musées et de la culture. Bien sûr tout cela est une parodie! Si toutes ces valeurs ne supportent pas d'être parodiées, c'est qu'elles n'ont plus d'importance. Oui, la Californie (et l'Amérique avec elle) est le miroir de *notre* décadence, mais *elle* n'est pas décadente du tout, elle est d'une vitalité hyperréelle, elle a toute l'énergie du simulacre. « C'est le lieu mondial de l'inauthentique » – bien sûr : c'est ça qui fait son originalité et sa puissance. Cette montée en puissance du simulacre, vous l'éprouvez ici sans effort. Mais y est-il jamais venu? Sinon il saurait que la clef de l'Europe n'est pas dans son passé révolu, mais dans cette anticipation parodique et délirante qu'est le Nouveau Monde. Il ne voit pas que chaque détail de l'Amérique peut être abject ou insignifiant, c'est l'ensemble qui dépasse l'imagination − du coup chaque détail de sa description peut être juste, c'est l'ensemble qui dépasse les bornes de la sottise.

Ce qui est neuf en Amérique, c'est le choc du premier niveau (primitif et sauvage) et du troisième type (le simulacre absolu). Pas de second degré. Situation pour nous difficile à saisir, qui avons toujours privilégié le second niveau, le réflexif, le dédoublement, la conscience malheureuse. Mais nulle vision de l'Amérique ne se justifie en dehors de ce renversement : Disneyland, ça, c'est authentique! Le cinéma, la télé, ça, c'est le réel! Les *freeways,* les *safeways,* les *skylines,* la vitesse, les déserts, ça, c'est l'Amérique, pas les musées, pas les églises, pas la culture... Ayons pour ce pays l'admiration qu'il mérite, et tournons les yeux vers le ridicule de nos propres mœurs, c'est le bénéfice et l'agrément des voyages. Pour voir et sentir l'Amérique, il faut au moins un instant avoir senti dans la jungle d'un *down-town,* dans le Painted Desert ou dans la courbe d'un *freeway,* que l'Europe avait disparu. Il faut au moins un instant s'être demandé : « Comment peut-on être Européen? »

La fin de la puissance?

Les années 50 aux US, c'est le moment le plus fort *(When the things were going on),* dont la nostalgie est toujours sensible : l'extase de la puissance, la puissance de la puissance. Les années 70, la puissance est toujours là, mais le charme est rompu. C'est le moment de l'orgie (la guerre, le sexe, Manson, Woodstock). Aujourd'hui, l'orgie est finie. Les US sont eux aussi, comme tout le monde, affrontés à un ordre mondial mou, à une situation mondiale molle. C'est l'impuissance de la puissance.

Mais que les US ne soient plus le centre monopolistique de la puissance mondiale, ce n'est pas qu'ils l'aient perdue, c'est tout simplement que le centre n'existe plus. Ils sont plutôt devenus l'orbite d'une puissance imaginaire à laquelle tous se réfèrent. Du point de vue concurrentiel, hégémonique et « impérialiste », ils ont certainement perdu des points, du point de vue exponentiel, ils en ont gagné : voyez la montée inintelligible du dollar, sans commune mesure avec une suprématie économique mais d'autant plus fascinante, voyez la fabuleuse assomption de New York et, pourquoi pas, le succès mondial de *Dallas*. L'Amérique est restée maîtresse de la puissance, politique ou culturelle, comme effet spécial.

L'Amérique entière est devenue californienne, à l'image de Reagan. Ancien acteur, ancien gouverneur de Californie, il a étendu aux dimensions de l'Amérique la vision cinématographique et euphorique, extravertie et publicitaire, des paradis artificiels de l'Ouest. Il a installé une sorte de chantage à la facilité, renouvelant le pacte primitif américain de l'utopie réalisée. Car la conjonction idéale que décrivait Tocqueville semble s'être défaite : si

214

les Américains ont gardé un sens aigu de l'intérêt individuel, ils ne semblent pas avoir préservé le sens qui pourrait être donné collectivement à leurs entreprises. D'où la crise actuelle, qui est profonde et réelle, et qui tend à la réhabilitation d'une idée collective, d'une valeur qui orienterait comme spontanément les comportements et apparaîtrait comme une résultante idéale des forces. C'est le succès de Reagan dans son entreprise de résurrection en trompe-l'œil de la scène primitive américaine. « *America is back again.* » Fragilisés par la guerre du Vietnam, aussi inintelligible pour eux que l'irruption des petits hommes verts dans une bande dessinée, et qu'ils ont d'ailleurs traitée de la même façon, à distance, comme une guerre télévisuelle, sans comprendre la vindicte du monde à leur égard et ne pouvant concevoir face à eux, puisqu'ils sont l'utopie réalisée du Bien, que l'utopie réalisée du Mal : le communisme, ils se sont réfugiés à l'ombre de la facilité, dans un illusionnisme triomphal. Là aussi tout à fait californien, car en réalité ce n'est pas toujours le soleil en Californie, bien souvent la brume y joue avec le soleil, ou avec le smog à Los Angeles. Et pourtant vous en gardez un souvenir solaire, un souvenir écran ensoleillé. Tel est le mirage Reagan.

Les Américains, comme les autres, n'ont pas envie de se demander s'ils croient ou non au mérite de leurs dirigeants, ni même à la réalité du pouvoir. Ça les mènerait trop loin. Ils préfèrent faire comme s'ils y croyaient, à condition qu'on ménage leur croyance. Gouverner signifie aujourd'hui donner des signes acceptables de crédibilité. C'est comme dans la publicité, et on y obtient le même effet, l'adhésion à un scénario, quel qu'il soit, politique, ou publicitaire. Celui de Reagan est les deux à la fois, et c'est un scénario réussi.

Tout est dans le générique. La société étant définitivement assimilée à une entreprise, tout est dans le synopsis de performance et d'entreprise, ses dirigeants doivent produire tous les signes du *look* publicitaire. La moindre défaillance est impardonnable, car c'est toute la nation qui en est diminuée. La maladie elle-même peut faire partie du *look,* tel le cancer de Reagan. Par contre, les faiblesses ou la débilité politiques sont sans importance. On ne juge que sur l'image.

Ce consensus de simulation est beaucoup moins fragile qu'on ne pense, car il est beaucoup moins exposé à l'épreuve de vérité politique. Tous nos gouvernements modernes doivent à la régulation publicitaire de l'opinion publique une sorte de métastabilité politique. Les défaillances, les scandales, les échecs n'entraînent plus de catastrophe. L'essentiel est qu'ils soient rendus crédibles, et le public rendu sensible à l'effort qu'on fait dans ce sens. L'immunité « publicitaire » des gouvernements est semblable à celle des grandes marques de lessive.

On ne compte plus les erreurs des dirigeants, dans tous les pays, qui eussent précipité leur perte en d'autres temps et dont tout le monde, dans un système de simulation de gouvernement et de consensus par l'indifférence, s'arrange aisément. Le peuple ne tient plus orgueil de ses chefs, et ceux-ci ne tiennent plus orgueil de leurs décisions. Il suffit de la moindre compensation en trompe-l'œil pour rétablir la confiance publicitaire. Ainsi l'opération de Grenade après les trois cents morts du Liban. Scénario sans risque, mise en scène calculée, événement artificiel, succès assuré. Les deux événements d'ailleurs, le Liban et Grenade, témoignaient de la même irréalité politique : l'un, terroriste, échappait complètement à la volonté; l'autre, complètement truqué, ne lui échappait pas assez. Ni l'un ni l'autre n'avaient de sens au regard de l'art de gouverner. Ils se répondaient dans le vide, ce qui définit aujourd'hui la scène politique.

Même autopublicité, même recherche de crédibilité, même culte du générique dans la nouvelle génération reaganienne. Dynamique, euphorique – ou plutôt dynamisante, euphorisante. Ni le bonheur n'est pour elle une idée neuve, ni la réussite une idée-force, car elle a déjà tout cela. Ce ne sont donc plus des militants, mais des sympathisants du bonheur et de la réussite. Génération venue des années 60/70, mais débarrassée de toute nostalgie, de toute mauvaise conscience, et de toute subconscience même de ces années folles. Expurgée des dernières traces de marginalité comme par une opération chirurgicale esthétique, visage neuf, ongles neufs, neurones lustrés et logiciel en bataille. Une génération qui ne marche ni à l'ambition, ni à l'énergie du refoulé, mais parfaitement recentrée, amoureuse des affaires moins pour le profit ou le prestige que comme une sorte de performance et de démonstration technique. Elle tourne partout autour des media, de la publicité et de l'informatique. Ce ne sont plus des monstres du business, mais les palotins du showbiz, car le business lui-même est devenu showbiz. *Clean and perfect*. Les

Yuppies. Le nom même fait sonner cette joyeuse reconversion. Par rapport à la génération précédente, il n'y a pas eu de révision déchirante, simplement une ablation, une amnésie, une absolution — l'oubli un peu irréel qui succède à un événement trop fort. Les Yuppies ne sont pas des transfuges de la révolte, c'est une nouvelle race sûre d'elle, amnistiée, blanchie, évoluant avec aisance dans le performatif, mentalement indifférente à toute autre finalité que celle du changement et de la promotion (promotion de tout : des produits, des hommes, de la recherche, des carrières, du mode de vie!). On aurait pu croire que l'orgie des années 60/70 laisserait place à une élite mobile et désenchantée, mais non : celle-ci, du moins dans la publicité qu'elle se fait à elle-même, se veut mobile, et enchantée. Cet enchantement est douillet : elle fonce sans se défoncer, que ce soit dans les affaires, en politique ou en informatique, elle s'annonce comme douillettement opérationnelle. Son slogan pourrait être :

YOU CAN'T HAVE YOUR MONEY AND SPEND IT
TOO!
YOU CAN'T HAVE YOUR CAKE AND EAT IT TOO!
YOU CAN'T EAT YOUR WIFE AND FUCK IT TOO!
YOU CAN'T LIVE AND HAVE YOUR LIVING TOO!

Mais cette facilité est impitoyable. Sa logique est impitoyable. Si l'utopie est réalisée, le malheur n'existe pas, les pauvres ne sont plus crédibles. Si l'Amérique est ressuscitée, alors le massacre des Indiens n'a pas eu lieu, le Vietnam n'a pas eu lieu. Dans sa fréquentation des riches ranchers ou producteurs de l'Ouest, Reagan n'a jamais soupçonné ni même frôlé l'existence des pauvres. Il ne connaît que l'évidence de la richesse, la tautologie de la puissance, qu'il élargit aux dimensions de la nation, voire du monde entier. Les déshérités seront voués à l'oubli, à l'abandon, à la disparition pure et simple. C'est la logique du *must exit. Poor people must exit.* L'ultimatum de la richesse, de l'efficacité, les efface de la carte. A juste titre, puisqu'ils ont le mauvais goût d'échapper au consensus général.

La misère qu'on soulageait encore, qu'on maintenait dans l'orbite d'une socialisation assistée, tout cela tombe sous le coup du décret providentiel (présidentiel). C'est comme si le Jugement Dernier avait déjà eu lieu. Les bons ont été jugés bons, les autres ont été relégués. Fin de la bonne volonté, fin de la mauvaise conscience. Le Tiers Monde, de sinistre mémoire, est effacé. Il n'a servi qu'à la mauvaise conscience des riches, et tous les efforts pour le sauver ont été voués à l'échec. Fini. Vive le Quatrième Monde, celui auquel on dit : « L'utopie est réalisée, que ceux qui n'y ont pas part disparaissent », celui qui n'a plus le droit de faire surface, *disenfranchised,* déchu de parole, voué à l'oubli, qu'on éjecte et qui va crever dans une fatalité de second ordre.

Disenfranchising.

On perd ses droits un à un, le travail, puis la voiture. Plus de *driver's license,* plus d'identité.

Des pans entiers de la population tombent ainsi dans l'oubli, dans l'abandon total. L'affranchissement fut un événement historique : ce fut l'émancipation des serfs et des esclaves, la décolonisation du Tiers Monde, et, dans nos sociétés, les diverses franchises : celles du travail, du vote, du sexe, des femmes, des prisonniers, des homosexuels — aujourd'hui partout acquises. Les droits sont partout acquis. Virtuellement, le monde est libéré, il n'y a plus à se battre pour rien. Mais en même temps des groupes entiers se désertifient de l'intérieur (les individus aussi). Le social les oublie, et ils s'oublient eux-mêmes. Ils tombent hors champ, zombies voués à l'effacement et aux courbes statistiques de disparition. C'est le Quatrième Monde. Des secteurs entiers de nos sociétés modernes, des pays entiers du Tiers Monde tombent dans cette zone désertifiée du Quatrième Monde. Mais alors que le Tiers Monde avait encore un sens politique (même si ce fut un échec mondial retentissant), le Quatrième Monde, lui, n'en a pas. Il est transpolitique. *Il est le résultat du désintéressement politique de nos sociétés, du désintéressement social de nos sociétés avancées,* de l'excommunication qui frappe justement les sociétés de communication. Ceci est valable à l'échelle du globe. On ne peut que le comparer aux milliers de tonnes de café qu'on brûlait dans les locomotives pour soutenir les cours mondiaux. Ou encore à ces groupes en surnombre dans les ethnies primitives, et qu'un prophète emmenait se perdre, comme des lemmings, vers l'horizon océanique où ils disparaissaient. La politique des États elle-même devient négative. Elle ne vise plus tellement à socialiser, à intégrer, à créer de nouvelles franchises. Derrière ces apparences de socialisation et de participation, elle désocialise, elle désaffranchit, elle expulse. L'ordre social se contracte sur les échanges, les technologies, les groupes de pointe, et en s'intensifiant ainsi il désintensifie des zones entières qui deviennent des réserves, même pas des réserves : des décharges, des terrains vagues, nouveaux déserts pour les nouveaux pauvres, comme on voit se désertifier le territoire autour des centrales atomiques ou des autoroutes. On ne fera rien pour les sauver et peut-être n'y a-t-il rien à faire, puisque l'affranchissement, l'émancipation, l'expansion ont déjà eu lieu. Il n'y a donc pas là les éléments d'une révolution future, ce sont les résultats indégradables d'une orgie de puissance, et d'une concentration irréversible du monde consécutive à cette extension. La seule question est : quelle situation résultera de ce désaffranchissement progressif (qui prend déjà, sous Reagan et Thatcher, une tournure violente)?

On s'interroge sur la popularité de Reagan. Mais il faudrait déterminer quel type de confiance lui est accordée. C'est presque trop beau pour être vrai : comment se fait-il que toutes les défenses soient tombées devant lui? Comment se fait-il qu'aucun faux pas, aucun revers n'entame son crédit, celui-ci s'en trouvant paradoxalement renforcé? (ce qui fait enrager nos dirigeants français, pour qui les choses vont à l'inverse : plus ils font montre d'initiative et de bonne volonté, plus leur cote baisse.) Mais c'est justement que la confiance investie dans Reagan est une *confiance paradoxale*. Comme on distingue le sommeil réel et le sommeil paradoxal, il faudrait distinguer la confiance réelle et la confiance paradoxale. La première est accordée à un homme ou à un chef en fonction de ses qualités et de son succès. La confiance paradoxale est celle qu'on accorde à quelqu'un *en fonction de son échec ou de son absence de qualités*. Le prototype en est l'échec de la prophétie, processus bien connu dans l'histoire des messianismes et des millénarismes, à la suite duquel le groupe, au lieu de renier son chef et de se disperser, se resserre au contraire autour de lui et crée des institutions religieuses, sectaires ou ecclésiales, pour assurer la croyance. Institutions d'autant plus solides qu'elles tirent leur énergie de l'échec de la prophétie. Cette confiance « surajoutée » ne souffre donc aucune défaillance, puisqu'elle

226

vient de la dénégation de l'échec. Telle est, toutes proportions gardées, l'ambiance étonnante qui enveloppe la crédibilité de Reagan, et qui force à penser que la prophétie américaine, la grande perspective de l'utopie réalisée, alliée à la puissance mondiale, a été mise en échec, que quelque chose de cette prouesse imaginaire qui devait couronner l'histoire de deux siècles ne s'est justement pas réalisé, et que Reagan est le résultat de l'échec de cette prophétie. Avec Reagan, c'est un système de valeurs jadis efficace qui s'idéalise et devient imaginaire. C'est l'image de l'Amérique qui devient imaginaire pour les Américains eux-mêmes, alors qu'elle est sans doute profondément compromise. Ce retournement d'une confiance spontanée en une confiance paradoxale et d'une utopie réalisée en une hyperbole imaginaire me semble un tournant décisif. Mais sans doute les choses ne sont-elles pas si simples. Car il n'est pas dit que l'image de l'Amérique soit profondément altérée aux yeux des Américains eux-mêmes. Il n'est pas dit que ce virage de l'ère reaganienne soit autre chose qu'une péripétie. *Who knows?* Il y a la même difficulté à en décider qu'à distinguer aujourd'hui entre un processus et une simulation de processus, entre un vol et une simulation de vol. L'Amérique est entrée elle aussi dans cette ère de l'indécidable : est-elle encore en puissance réelle ou en simulation de puissance?

Reagan peut-il être considéré comme l'emblème de la société américaine actuelle — une société, qui, après avoir eu les traits originaux de la puissance, en serait au stade du lifting? Une autre hypothèse serait : l'Amérique n'est plus ce qu'elle était, mais elle continue sur sa lancée, elle est en hystérésie de puissance. Hystérésie : processus de ce qui continue de se développer par inertie, de l'effet qui se poursuit quand la cause a disparu. On peut ainsi parler d'une hystérésie de l'histoire, d'une hystérésie du socialisme, etc. Ça continue de fonctionner comme un corps en mouvement, par la vitesse acquise, ou grâce à un volant d'inertie, ou comme un homme sans conscience tient encore debout par la force de l'équilibre. Ou, d'une façon plus drôle : comme les cyclistes du *Surmâle* de Jarry, qui sont morts d'épuisement en pédalant lors de l'immense traversée de la Sibérie, mais qui continuent de pédaler et de propulser la Grande Machine, ayant transformé la rigidité cadavérique en énergie motrice. Superbe fiction : les morts sont peut-être même capables d'accélérer, et de faire tourner la machine mieux que les vivants, *puisqu'ils n'ont plus de problème*. L'Amérique serait-elle semblable à la décuplette d'Alfred Jarry? Mais là encore, s'il semble évident qu'il y a eu comme une rupture de charge, ou une rupture de charme, de la machine américaine, qui dira si cela est dû à une dépression, ou à une surfusion des mécanismes?

L'Amérique souffre certainement moins que l'Europe de la convalescence des grandes idées et de la désaffection des passions historiques, car ce n'est pas là le moteur de son développement. Ce dont elle souffre par contre, c'est de la disparition des idéologies qui la contestaient, et de l'affaiblissement de tout ce qui s'opposait à elle. Si elle a été plus puissante dans les deux décennies d'après la Deuxième Guerre mondiale, les idées et les passions qui la dénonçaient étaient elles aussi plus puissantes. Le système américain pouvait être attaqué avec violence (de l'intérieur même dans les années 60/70). Aujourd'hui, l'Amérique n'a plus la même hégémonie et n'exerce plus le même monopole, mais elle est en quelque sorte incontestée, et incontestable. Elle était une puissance, elle est devenue un modèle (l'entreprise, le marché, l'initiative libre, la performance) qui s'universalise jusqu'en Chine. Le style international est devenu américain. Rien ne s'oppose plus véritablement à elle, les marges offensives se sont résorbées (Chine, Cuba, Vietnam), la grande idéologie anticapitaliste s'est vidée de sa substance. Tout compte fait, il s'établit autour des États-Unis, de par le monde, le même effet de consensus qui se produit autour de Reagan aux USA. Un effet de crédibilité, de publicité, une perte des défenses chez l'adversaire potentiel. C'est ainsi que ça s'est passé pour Reagan : peu à peu il n'y a plus rien eu contre lui, rien en face de lui, sans qu'on puisse le créditer d'un génie politique propre. Consensus par effusion, par élision des éléments oppositionnels et des marges. Décadence politique et grandeur publicitaire. C'est la même chose pour les États-Unis à l'échelle planétaire. La puissance américaine ne semble pas inspirée par un génie propre (elle fonctionne par inertie, au coup par coup, dans le vide, embarrassée de sa propre force) — par contre l'Amérique se paye une sorte de flash, de coup de publicité. Il y a comme une puissance mythique et publicitaire de l'Amérique à travers le monde, égale à la polarisation publicitaire autour de Reagan. C'est ainsi, par cette sorte de valeur ajoutée, de crédibilité exponentielle, autoréférentielle et sans fondement véritable, qu'une société entière se stabilise sous perfusion publicitaire. La surfusion du dollar sur les places mondiales en est le symbole et le plus bel exemple.

Métastabilité fragile cependant, tant sur le plan externe que sur le plan politique intérieur. Car elle n'est due en dernier ressort qu'à l'évanouissement de toute alternative véritable, à la disparition des résistances et des anticorps. C'est là la véritable crise de la puissance américaine, celle d'une stabilisation potentielle par inertie, d'une assomption de puissance dans le vide. Elle s'apparente sous bien des aspects à la perte des défenses immunitaires dans un organisme surprotégé. C'est pourquoi Reagan atteint du cancer me semble d'une ironie poétique. La figure du cancer est un peu à l'image de cette crédibilité transparente, de cette euphorie d'un corps qui ne produit plus d'anticorps, menacé de destruction par excès de fonctionnalité. Le chef de la plus grande puissance mondiale atteint du cancer! Le pouvoir saisi par les métastases! Les deux pôles de notre civilisation se rejoignent. Levée de l'immunité présidentielle, bientôt le SIDA! Ça devrait marquer le début de l'implosion générale (à l'Est

il y a longtemps que le pouvoir est saisi par
la nécrose).

Mais c'est aller un peu vite, et il vaudrait
peut-être mieux parler de ménopause. Rémis-
sion de l'esprit public, recentrage général après
les convulsions des années 70, fin de toute
nouvelle frontière, gestion conservatrice et
publicitaire des choses, performativité au ras
des pâquerettes, sans regard sur le futur,
austérité et training, business et jogging, fin de
la défonce et de l'orgie, restauration d'une sorte
d'utopie naturaliste de l'entreprise et d'une
conservation biosociologique de la race — tout
cela ne signifie-t-il pas la fin du lustre de la
puissance et l'entrée dans l'euphorie hystérique
de la ménopause? Ou bien, encore une fois, la
phase Reagan n'est-elle qu'une convalescence
provisoire, *revival* successif à la dépression,
mais présageant d'autres rebondissements?
Pourtant toute « nouvelle frontière », toute
nouvelle « pensée Kennedy » semble impensa-

ble aujourd'hui. C'est même cela qui a changé profondément dans l'air du temps américain : l'effet Reagan a pompé l'air de la nation.

Cela dit, l'effet de ménopause n'est pas particulier à l'Amérique, il est sensible dans toutes les démocraties occidentales, et il fait ses ravages partout, en culture comme en politique, dans les affects individuels comme dans les passions idéologiques. Il reste à espérer que notre entrée dans le Troisième Age s'accompagnera de rencontres du Troisième Type (hélas, nous avons déjà eu notre démon de midi, c'était le fascisme). Quant à la réalité américaine, même liftée elle garde une envergure, une surdimension, et en même temps une sauvagerie intacte. Toutes les sociétés finissent par prendre un masque, et pourquoi pas celui de Reagan? Mais ce qui reste intact, c'est ce qui était là au début : l'espace et le génie de la fiction.

Desert for ever

Les couchers de soleil sont des arcs-en-ciel gigantesques qui durent une heure. Les saisons n'y ont plus de sens : le matin, c'est le printemps, à midi, c'est l'été, et les nuits du désert sont froides sans que ce soit jamais l'hiver. C'est une sorte d'éternité suspendue où l'année se renouvelle tous les jours. Avec la certitude qu'il en sera ainsi chaque jour, que chaque soir sera cet arc-en-ciel de toutes les couleurs du spectre où la lumière, après avoir régné tout le jour dans sa forme indivisible, s'analyse encore le soir selon toutes les nuances qui la composent, avant de disparaître. Nuances qui sont celles déjà de l'arc-en-ciel instantané qui prend feu dans le vent à la crête des vagues du Pacifique.

C'est la grâce invulnérable du climat, privilège d'une nature qui parachève la richesse insensée qui est celle des hommes.

Ce pays est sans espoir. Les ordures mêmes y sont propres, le trafic lubrifié, la circulation pacifiée. Le latent, le laiteux, le léthal — une telle liquidité de la vie, liquidité des signes et des messages, une telle fluidité des corps et des bagnoles, une telle blondeur des cheveux et une telle luxuriance des technologies douces y font rêver l'Européen de mort et de meurtre, de motels pour suicidaires, *orgy and cannibalism*, pour faire échec à cette perfection de l'océan, de la lumière, à cette facilité insensée de la vie, à l'hyperréalité de toutes choses ici.

D'où le phantasme d'une fracture sismique et d'un effondrement dans le Pacifique, qui mettrait fin à la Californie et à sa beauté criminelle et scandaleuse. Car il n'est pas supportable de passer vivant au-delà de la

238

difficulté d'être, dans la seule fluidité du ciel, des falaises, du surf, des déserts, dans la seule hypothèse du bonheur.

Mais même le défi sismique n'est encore qu'un flirt avec la mort, et fait encore partie des beautés naturelles, tout comme l'histoire ou la théorie révolutionnaire, dont l'écho hyperréaliste vient mourir ici avec le charme discret d'une vie antérieure. Tout ce qui reste d'une exigence violente et historique : ce graffiti sur la plage, face au large et invoquant non plus les masses révolutionnaires, mais le ciel et le large et les déités transparentes du Pacifique :

PLEASE, RÉVOLUTION!

Est-il indifférent pourtant que la plus grande base navale, celle de la 7e flotte du Pacifique, l'incarnation même de la domination mondiale américaine et la plus grande puissance de feu du monde, fasse partie de cette beauté insolente? Là même où souffle la très belle magie du

Santa Ana, le vent du désert qui traverse les montagnes pour y rester quatre ou cinq jours, puis dévaster le brouillard, faire brûler la terre, scintiller la mer et écraser les gens habitués à la brume — la plus belle chose du Santa Ana, c'est la nuit sur la plage, on s'y baigne comme en plein jour et, tels les vampires, on bronze à la lumière de la lune.

Ce pays est sans espoir.

Pour nous les fanatiques de l'esthétique et du sens, de la culture, de la saveur et de la séduction, pour nous pour qui cela seul est beau qui est profondément moral, et seule passionnante la distinction héroïque de la nature et de la culture, pour nous qui sommes indéfectiblement liés aux prestiges du sens critique et de la transcendance, pour nous c'est un choc mental et un dégagement inouï de découvrir la fascination du non-sens, de cette déconnection vertigineuse également souveraine dans les déserts et dans les villes. Découvrir qu'on peut jouir de la liquidation de toute culture et s'exalter du sacre de l'indifférence.

Je parle des déserts américains et des villes qui n'en sont pas... Pas d'oasis, pas de monuments, travelling indéfini du minéral et des autoroutes. Partout : Los Angeles ou Twenty Nine Palms, Las Vegas ou Borrego Springs...

Pas de désir : le désert. Le désir est encore d'une lourde naturalité, nous vivons de ses vestiges en Europe, et de ceux d'une culture critique agonisante. Ici les villes sont des déserts mobiles. Pas de monuments, pas d'histoire : l'exaltation des déserts mobiles et de la simulation. Même sauvagerie dans les villes incessantes et indifférentes que dans le silence intact des Badlands. Pourquoi L.A., pourquoi les déserts sont-ils si fascinants? C'est que toute profondeur y est résolue — neutralité brillante, mouvante et superficielle, défi au sens et à la profondeur, défi à la nature et à la culture, hyper-espace ultérieur, sans origine désormais, sans références.

Pas de charme, pas de séduction dans tout cela. La séduction est ailleurs, en Italie, dans certains paysages devenus peintures, aussi culturalisés et raffinés dans leur dessin que les villes et les musées qui les enferment. Espaces circonscrits, dessinés, de haute séduction, où le sens, à ce point luxueux, est enfin devenu parure. C'est exactement l'inverse ici : pas de séduction, mais une fascination absolue, celle même de la disparition de toute forme critique et esthétique de la vie, dans l'irradiation d'une neutralité sans objet. Immanente et solaire. Celle du désert : immobilité sans désir. Celle de Los Angeles : circulation insensée et sans désir. Fin de l'esthétique.

Ce qui est volatilisé n'est pas seulement l'esthétique du décor (celui de la nature ou de l'architecture), mais celle des corps et du langage, de tout ce qui fait l'habitus mental et social de l'Européen, surtout latin, cette *commedia dell'arte* continuelle, pathos et rhétorique de la relation sociale, dramatisation de la parole, feintes du langage, aura du maquillage et de la gestualité artificielle. Tout le charme esthétique et rhétorique de la séduction, du goût, du charme, du théâtre, mais aussi de la contradiction, de la violence, toujours ressaisi par le discours, par le jeu, par la distance, par l'artifice. Notre univers n'est jamais désertique, toujours théâtral. Toujours ambigu. Toujours culturel, et légèrement ridicule dans sa culturalité héréditaire.

Ce qui est saisissant, c'est l'absence de tout cela, aussi bien celle de l'architecture dans les villes qui ne sont plus que de longs travellings signalétiques, que l'absence vertigineuse d'affect et de caractère dans les visages et dans les corps. Beaux, fluides, souples ou *cool*, ou d'une obésité étrange, sans doute moins liée à une boulimie compulsive qu'à une incohérence générale aboutissant à une désinvolture du corps ou du langage, de la nourriture ou de la ville : lâche réseau de fonctions ponctuelles et successives, tissu cellulaire hypertrophié et proliférant dans tous les sens.

Ainsi le seul tissu de la ville est celui des *freeways*, tissu véhiculaire, ou plutôt transurbanistique incessant, spectacle inouï de ces milliers de voitures circulant à vitesse égale, dans les deux sens, tous phares allumés en plein soleil, sur le Ventura Freeway, ne revenant de nulle part, n'allant nulle part : immense acte collectif, rouler, dérouler sans cesse, sans agressivité, sans but — socialité transférentielle, la seule sans doute d'une ère technologique hyperréelle, *soft-mobile*, s'épuisant dans les surfaces, les réseaux, les technologies douces.

Pas d'ascenseur ni de métro à Los Angeles. Pas de verticalité ni *d'underground*, pas de promiscuité ni de collectivité, pas de rues ni de façades, pas de centre ni de monument : un espace fantastique, une succession fantomatique et discontinuelle de toutes les fonctions éparses, de tous les signes sans hiérarchie – féerie de l'indifférence, féerie des surfaces indifférentes – puissance de la pure étendue, celle qu'on retrouve dans les déserts. Puissance de la forme désertique : c'est l'effacement des traces dans le désert, du signifié des signes dans les villes, de toute psychologie dans les corps. Fascination animale et métaphysique, celle, directe, de l'étendue, celle, immanente, de la sécheresse et de la stérilité.

La puissance mythique de la Californie est dans ce mixte d'une extrême déconnection et d'une mobilité vertigineuse prise dans le site, le scénario hyperréel des déserts, des *freeways*, de l'océan et du soleil. Nulle part ailleurs n'existe cette conjonction fulgurante d'une inculture radicale et d'une telle beauté naturelle, du prodige naturel et du simulacre absolu : *just in this mixture of extreme irreferentiality and deconnection overall, but embedded in most primeval and greatfeatured natural scenery of deserts and ocean and sun — nowhere else is this antagonistic climax to be found.*

Ailleurs les beautés naturelles sont lourdes de sens, de nostalgie, et la culture elle-même insupportable de gravité. Les cultures fortes (Mexique, Japon, Islam) nous renvoient le miroir de notre culture dégradée, et l'image de notre culpabilité profonde. Le surcroît de sens d'une culture forte, rituelle, territoriale, fait de nous des gringos, des zombies, des touristes assignés à résidence dans les beautés naturelles du pays.

Rien de tel en Californie, où la rigueur est totale, car la culture elle-même y est un désert — et il faut que la culture soit un désert pour que toutes choses soient égales et resplendissent dans la même forme surnaturelle.

C'est pourquoi le vol même de Londres à Los Angeles en passant par le pôle, dans son abstraction stratosphérique, dans son hyperréalité là aussi, fait déjà partie de la Californie et des déserts. La déterritorialisation commence avec la déconnection de la nuit et du jour. Quand leur partage n'est plus une question de temps mais d'espace, d'altitude et de vitesse et se fait nettement, comme à la verticale – quand on traverse la nuit comme un nuage, si vite qu'on en a la perception comme d'un objet local gravitant autour de la terre, ou au contraire quand elle se résorbe totalement, le soleil se tenant au même point du ciel pendant les douze heures de vol, alors c'est déjà la fin de notre espace-temps, et la même féerie qui sera celle de l'Ouest.

L'émerveillement de la chaleur y est métaphysique. Les couleurs mêmes, pastels bleus, mauves, lilas, résultent d'une combustion lente, géologique, intemporelle. La minéralité du sous-sol y fait surface dans des végétaux cristallins. Tous les éléments naturels y sont passés à l'épreuve du feu. Le désert n'est plus un paysage, c'est la forme pure qui résulte de l'abstraction de toutes les autres.

Sa définition est absolue, sa frontière initiatique, les arêtes vives et les contours cruels. C'est le lieu des signes d'une impérieuse nécessité, d'une inéluctable nécessité, mais vides de sens, arbitraires et inhumains, qu'on traverse sans les déchiffrer. Transparence sans appel. Les villes du désert elles aussi s'arrêtent net, elles n'ont pas d'environnement. Et elles tiennent du mirage, qui peut s'évanouir à chaque instant. Il n'est que de voir Las Vegas, sublime Las Vegas, surgir tout entière du désert, dans ses lumières phosphorescentes, à la tombée du jour, et retourner, après avoir épuisé toute la nuit son intense énergie superficielle, plus intense encore aux lueurs de l'aube, retourner au désert quand le jour se lève, pour saisir le secret du désert et de ce qui y fait signe : une discontinuité enchanteresse, un rayonnement total et intermittent.

Affinité secrète du jeu et du désert : l'intensité de jouer redoublée par la présence du désert aux confins de la ville. La fraîcheur climatisée des salles contre la chaleur rayonnante du dehors. Le défi de toutes les lumières artificielles à la violence de la lumière solaire. Nuit du jeu ensoleillée de tous côtés, c'est l'obscurité scintillante des salles en plein désert. Le jeu lui-même est une forme désertique, inhumaine, inculte, initiatique, défi à l'économie naturelle de la valeur, une folie aux confins de l'échange. Mais lui aussi a une limite rigoureuse, et s'arrête brutalement, ses confins sont exacts, sa passion est sans confusion. Ni le désert ni le jeu ne sont des espaces libres : ce sont des espaces finis, concentriques, croissant en intensité vers l'intérieur, vers un point central : l'âme du jeu ou le cœur du désert — espace de prédilection, espace immémorial où les choses perdent leur ombre, où l'argent perd sa valeur, et où l'extrême rareté des traces et de ce qui y fait signe conduit les hommes à rechercher l'instantanéité de la richesse.

TABLE

2400

*Cet ouvrage a été réalisé sur
Système Cameron
par la SOCIÉTÉ NOUVELLE FIRMIN-DIDOT
Mesnil-sur-l'Estrée
pour le compte des Éditions Grasset
le 27 juillet 1987*

Imprimé en France
Dépôt légal : février 1986
Nouveau tirage – Dépôt légal : juillet 1987
Nº d'édition : 7384 – Nº d'impression : 7424
ISBN : 2-246-34381-X